KB094399

만다라 명상
&
타로카드

Prologue

『만다라 명상&타로카드』를 통해,
마음을 펼쳐 밝은 세상으로 나아가길 바라는 마음으로...

만다라를 통한 명상과 78장 타로카드의 하모니!!!

한 장의 만다라 명상&타로카드의 그림을 그리는 데 많게는 몇 주의 시간이 소요된, 이 놀라운 성과물이 장장 2년이 넘는 시간 동안 기획, 제작되어 드디어 세상에 펼쳐지게 되었다. 아니, 계획 및 준비 기간까지를 생각하면 수년의 시간이 소요되었다고 표현하는 것이 맞는 말일 것이다.

많은 어려움과 예산이 소요되었으나, 앞으로도 밝은 세상을 만들기 위한 MBTI 타로카드, 만다라 워크북 등의 연구가 계속될 것이다. 특히, 수년 전『만다라 명상&타로카드』와 비슷한 시기에 영감을 얻은 MBTI 타로카드 또한, 아직 세상 어디에도 개발되지 않은, 저자 본인도 지금까지의 다른 작품보다 더 많은 심혈을 기울이고 있는 작품이다.

『만다라 명상&타로카드』의 제작 기간을 보아도 알 수 있듯이, 『만다라 명상&타로카드』에는 깊은 고뇌와 간절함이 들어 있다. 단순히,

컴퓨터 그래픽을 통한 제작이 아닌, 한 장 한 장에 온 심혈과 혼을 담아 직접 그린 78장의 세계 최초 타로카드 시스템의 결정체라는 점에서 『만다라 명상&타로카드』가 갖는 의미는 말로 형언할 수 없다.

세계적으로 많이 사용된 기존의 명상 타로카드로는 오쇼 라즈니쉬(1931~1990)의 강연 내용을 타로카드 이미지로 파드마가 제작한 '오쇼 젠 타로카드'가 있다. 이는 국내에서도 많이 보급되어있는 타로카드로, 저자도 경기대 서울 평생교육원 등에서 백여 명의 '오쇼젠 타로카드 상담전문가' 수강생을 수년 전부터 배출했었다. 교원 연수 등의 강의까지를 포함한다면 오쇼젠 타로카드 관련 수강생은 족히 수백 명은 될 것이다.

오쇼젠 타로카드가 유니버셜웨이트 타로카드 구성 시스템을 따라 78장으로 잘 구성되었지만, 카발라, 오컬트적인 신비주의의 의미 가미에 있어 부족함이 묻어난다는 점에서 너무나 아쉬움이 컸다.

타로카드는 제작자의 타로카드 전문성에 따라 반영되는 요소와 반영되는 비율 등에 큰 차이를 보인다. 특히, 카발라, 오컬트적인 신비주의의 의미 가미에 내해서는 더욱더 그러하다. 단순히 타로카드의 의미만 알고 제작 의도를 연계하는 제작자와 타로카드의 깊은 내면의 의미와 타로카드가 인류에 도입된 최초 당시의 숨겨진 비밀스러운 의미, 그리고 인류와 함께 변화 업그레이드된 숨겨진 의미 등을 이해하고 활용할 수 있는 타로 제작자는 타로카드 제작 당시부터 엄청난 의도의 차이가 생긴다. 당연히 완성된 타로카드의 질, 활용도, 정확성의 차이는 더욱 클 수밖에 없고, 이를 사용하는 사용자의 만족도 또한, 직접 사용하며 엄청난 차이를 느낄 수 있다.

 '22장의 메이저 카드와 56장의 마이너 카드로 이루어진 78장의 타로카드의 구성'을 갖추면 일반적으로 타로카드라는 명칭을 사용할 수 있는 것으로 많은 사람이 알고 있다. 하지만, 여기에 한 가지의 요소가 더 가미되어야 진정한 타로카드라는 명칭을 사용할 수 있고, 타로카드 본연의 도구로 제대로 활용할 수 있다.
 그것은 바로 '카발라, 오컬트적인 신비주의의 의미 가미'이다.

 카발라, 오컬트적인 신비주의의 의미가 가미되어야, 수비학의 의미, 4원소의 의미 등을 접목할 수 있고, 타로카드 사용자는 본연의 직관적인 능력을 발휘할 수 있는 것이다.

 『만다라 명상&타로카드』는 최고의 타로상담 전문가와 만다라 전문가가 '22장의 메이저 카드와 56장의 마이너 카드로 이루어진 78장의 타로카드의 구성+카발라, 오컬트적인 신비주의의 의미 가미'를 모두 접목하여 심혈을 기울인 세계적인 작품이다.

 즉, 『만다라 명상&타로카드』는 카발라, 오컬트적인 신비주의의 의미가 가미되어, 수비학의 의미, 4원소의 의미 등을 접목할 수 있고, 타로카드 사용자는 본연의 직관적인 능력을 발휘할 수 있다.

 이렇게 『만다라 명상&타로카드』는 타로카드 시스템을 완벽히 구현하며 수작업을 통해 제작된 세계 최초의 『만다라 명상&타로카드』라는 큰 의미를 갖는다.

출판 전부터 곳곳에서 『만다라 명상&타로카드』의 예비 도안으로 진행한 여러 사례의 엄청난 효과에 대한 소식들이 전해지고 있어 참으로 감사하고 뿌듯하다.

저자들의 마음은 한결같다.

『만다라 명상&타로카드』를 통해,
마음을 펼쳐 밝은 세상으로 나아가길 바라는 마음으로...

코로나19의 완전한 종식을 기대하며
2023년 8월 한여름에

대표 저자 최옥환, 이미정, 성영미, 김은미, 서경은
책 공동 저자 조혜진, 김건숙, 추주연, 김순희, 장선순, 소난영, 천성필
카드 공동 저자 조혜진, 김건숙, 우수옥, 장선순, 서의환, 장혜선, 천성필

1.

만다라 명상&타로카드 상담 개론

만다라에 대한 기초부터 전문적인 내용과 사례는 대표 저자의 만다라 전문서 『만다라 명상&타로카드를 기반으로 한 만다라 코칭&실제(최옥환 외, 메이킹북스)』를 참고하기 바란다.

본 『만다라 명상&타로카드』에서는 만다라 명상&타로카드 사용을 위한 기초부터 전문적인 실전 사례까지를 탑재한다. 『만다라 명상&타로카드를 기반으로 한 만다라 코칭&실제』를 사전에 살펴본다면 본 『만다라 명상&타로카드』를 이해하는 데 많은 도움이 될 것이다.

『만다라 명상&타로카드』를 처음 접하는 독자의 이해를 돕기 위해 『만다라 명상&타로카드를 기반으로 한 만다라 코칭&실제』에 소개된 내용을 포함, 만다라에 대한 기초 개념과 만다라 명상&타로카드 상담 개론에 대해 간단히 안내한다.

*** 인용 및 참고: 『만다라 명상&타로카드를 기반으로 한 만다라 코칭&실제(최옥환 외, 메이킹북스)』 ***

✦ 가. 만다라 기초

만다라(MANDALA)라는 용어는 고대 인도어인 산스크리트어로 바퀴, 원을 의미하며, 중심 또는 본질을 의미하는 '만다(MANDA)'와 소유, 성취를 의미하는 '라(LA)'로 이루어져 있다.

즉, 만다라는 하나의 원의 형태를 띠며, 중심을 향한 성취, 본질의 소유 등으로 해석될 수 있다.

'한 점으로부터 일정한 거리만큼 떨어져 있는 점들의 자취'를 원이라고 정의한다.

이때, 한 점을 원의 중심이라 하고, 일정하게 떨어진 거리를 반지름이라 한다.

즉, 중심과 반지름을 원의 핵심 구성 요소라고 할 수 있다.

원은 테두리 어디에서도 중심까지 이르는 거리가 동일하다. 이는 원의 중심에서 어떤 테두리까지라도 이르는 거리가 같다고 바꾸어 말할 수 있다. 또한, 원은 내부와 외부가 명확히 나누어진다.

원의 내부는 중심을 향해 닫혀 있으며, 안정적인 영역으로 작용한다.

또한, 외부는 우주라는 전체를 향해 나아가며, 발산적인 영역으로 작용한다.

이렇듯 원은 다른 도형과 다르게 특별한 수렴과 발산을 동시에 진행할 수 있다.

이런 원은 우리의 마음을 치유하는 작용과 최초의 원래 상태로 돌아가게 하는 효능을 가지고 있다.

칼 구스타프 융(Carl Gustav Jung: 1875~1961)은 41세인 1916년 '초월적 기능(Transcendent function)'에서 여러 환상과의 대화를 통해 적극적 명상(Active imagination)의 방법을 찾아내었다. 또한, 44세인 1919년 Mandala를 연구하면서 서서히 심리적 안정을 되찾았다. 이렇게 만다라는 복잡한, 심지어 원인조차도 파악하기 힘든 현대 사회의 심리적 문제를 해결할 수 있는 해결책을 찾을 수 있다는 탁월함을 간직하고 있다.

✦ 나. 만다라 명상&타로카드 상담 개론

1997년부터 마음 관련 공부, 연구의 길을 걸어온 저자는 아직도 많은 부족함을 느끼며, 계속적인 공부와 연구를 하고 있다.

특히, 십수 년간 타로카드 상담, NLP 상담, 최면 상담, 만다라 전문 상담, 꿈 분석, 컬러(색채), 현대 과학, 양자학, 점성학 등 진행해 온 마음 관련 전문 강의 중 수천 명의 수강생을 배출하고 있는, 가장 인기 있는 영역이 바로 타로카드 상담 영역이다. 중복 수강자까지 고려한다면 만여 명이 넘는 배출일 것이다.

이런 긴 시간, 보이지 않는 영역의 학문을 연구하고 강의하면서 여전히 공통적으로 안타까운 부분이 있다. 1997년 마음공부에 들어서기 이전의 저자 본인을 포함하여, 현대를 살아가는 많은 사람이 여전히 눈으로 보이는 영역만 인정하고 보이지 않는 영역에 대해서는 간과하며, 심지어 불신하고 있다는 점이다. 인간의 마음으로 비유하자면 무의식, 잠재의식이라는 영역이 마음의 90% 이상을 차지하며 개개인에게 절대적으로 큰 영향력을 끼침에도 불구하고, 많은 사람들은 직접 접할 수 있는 의식이라는 부분만 믿고 의존하며, 무의식, 잠재의식이라는 보이지 않는 영역에 대해서는 무시하고, 간과하고 있는 것과 같다고 할 수 있다. 최근에는 일부 현대 지식인을 중심으로 이런 보이지 않는 부분의 중요성을 연구, 인식하고 그 중요성을 매스컴 등을 통해 산발적으로 어필하고 있는 실정이라 한편으로는 다행스러운 전환이라 생각된다.

칼 구스타프 융(Carl Gustav Jung: 1875~1961)이 직접 만다라를 그리며 치유의 과정을 접했다는 일화는 저자가 경험한 만다라의 치유 과정과 매우 유사하다는 것을 알게 되었으며, 그 효과 또한, 다른 어떤 방법보다 효율성이 탁월하다는 사실을 깨닫게 되었다.

저자는 '이런 놀라운 힘을 가지고 있는 만다라를 대중이 편안하고 손쉽게 접근하여 실생활에 활용할 수 있는 방법이 없을까?' 하는 생각이 간절해졌다. 이러한 고심은 갈수록 더욱 커져 갔고, 이에 대한 연구를 병행하게 되었다. 이와 같은 많은 고심과 연구 노력 끝에, 이미 많은 대중, 아니 대부분이 일상에서 접목하고 있는 명상이라는 방법과 저자의 마음 관련 전문 강의 중 수많은 수강생을 배출하고 있는, 가장 인기 있는 영역인 타로상담 영역의 융합이 그 해답이 될 수 있다는 것을 도출해 냈다.

타로카드와 만다라 그리고 명상...

이 놀라운 효과를 소유한 세 영역이 융합되어 78장의 타로카드 시스템을 구축한 세계 최초의 『만다라 명상&타로카드』가 수년간의 연구, 준비 작업을 거쳐 드디어 탄생되었다.

78장의 시스템으로 구성된 세계 최초의 『만다라 명상&타로카드』!!!

저자는 경기대 평생교육원, 서울교대 평생교육원, 충북대 평생교육원 등에서 유니버셜웨이트, 마르세이유, 심볼론, 데카메론, 오쇼젠, 컬러타로 전문가(트레이너)과정을 운영하여 수백 명의 트레이너를 배출하고 있다. 이 여러 종류의 타로카드는 각각 다른 상담 내용으로 내담자에 맞게 전문적 상담으로 사용될 수 있다. 유니버셜웨이트 타로카드 하나만 사용하면서 자칭 전문가라고 말하는 시대는 이미 오래전에 지났다. 4차 산업 혁명 시대를 사는 현대인들에게 가장 적합한, 그로 인해 최대의 성과를 이끌 수 있는 상담 도구를 사용할 수 있어야 타인이 인정하는 진정한 전문가인 것이다.

만다라 타로상담에는 만다라 전문가&공저들이 오랜 시간 동안 연구하여 만들어 낸 만다라 전문 스프레드가 있다.

하지만, 만다라 타로상담에서는 유니버셜웨이트, 마르세이유, 심볼론, 데카메론, 오쇼젠, 컬러타로 등 여러 카드를 종합적으로 목적에 맞게 전문적으로 사용할 수 있어야 한다.

또한, 『만다라 명상&타로카드』는 다른 명상카드에서 접하지 못했던 신비주의의 비의, 수비학 등을 접목하여 사용할 수 있다.

『만다라 명상&타로카드』에 접목된 여러 신비주의, 상징적인 의미를 간단히 살펴보면 다음과 같다.

(1) 오컬트&카발라, 신비주의

오컬트(Occult)는 신비주의와 관련하여 많이 등장하는 용어로 '과학적으로 해명할 수 없는 신비적·초자연적 현상. 또는 그런 현상을 일으키는 기술'(출처: 네이버 사전)로 정의된다.

오컬트적인 포괄적인 구성 내용 중, 『만다라 명상&타로카드』에서는 구 형체인 세피라와 그 세피라의 구성체인 세피로트를 포함한 생명의 나무를 포괄적으로 접목하였고, 카발라, 만트라 등의 내용도 포함하여 제작하였다.

카발라는 유대교의 신비주의를 말하며, 오컬트 등 신비적인 교리와 의식을 말한다. 카발라는 입에서 입으로 전수하여 계승된다는 구전 전승의 개념이다.

카발라가 유대인의 전승이라는 개념이라서 유대인들이 주로 많이 사용한 듯하지만, 보편화된 형태로 널리 알려진 것은 서양 신비주의를 통해서이다.

이런 카발라 등 신비주의의 이해를 통해 밖으로 드러나지 않은 내면의 심오한 세계를 이해할 수 있디.

오컬트는 그 양이 너무나 방대하고 끝이 없어 온·오프라인 전문 강의에서 세세한 설명을 하기로 한다. 타로상담 트레이너가 되기 위한 필수 코스로 경기대 평생교육원에서는 타로상담전문가 2급, 실전 2과정에서 24시간 동안 타로상담과 관련한 신비주의, 오컬트, 카발라에 대한 특강이 수년째 성황리에 진행되고 있다. 아마도 올해부터는 많은 스케줄로 인해 1~2년에 한 번 강의할 수 있을지 모르겠다.

(2) 상징

내면세계를 언어나 행동 등 외부로 표현하기에는 한계가 있다. 이런 한계를 극복하는 대표적인 방법이 상징이다. 상징에는 함축적인 의미를 내포하고 있다. 빨간색이라는 상징은 "뜨겁다, 정열적이다, 순수하다, 피, 무섭다, 활력 차다." 등의 의미를 내포하고 있지만, 특히 상징을 『만다라 명상&타로카드』에서 중요한 의미로 갖는 것은 개개인의 특별한 내면세계를 파악할 수 있다는 점이다.

(3) 수비학

수비학(數祕學, Numerology)이란, 수와 사람, 장소, 사물, 문화 등의 사이에 숨겨진 의미와 연관성을 공부하는 학문으로 신비주의의 연계나 타로카드 상담 등에 많이 활용된다. 타로상담에 사용되는 수비학의 간단한 의미는 다음과 같다.

---

1 - 순수함, 새로운 시작 (점 1개)

2 - 관계, 이중성, 양자의 균형 (점 2개-선)

3 - 종합, 협력, 불안감, 확장, 수행, 검(Swords)은 협력 관계가 아님 (점 3개-삼각형)

4 - 토대, 안정성, 현상, 정지 (점 4개-평면, 사각형)

5 - 변화, 불안정성, 고통을 동반한, 이겨 낼 수 있는 변화 (점 5개-입체, 사각뿔)

6 - 완성, 이상주의, 완벽함, 성공적으로 변화를 마침 (점 6개-수정 모양)

7 - 큰 변화, 막을 수 없는 변화, 각성, 새로움에 눈뜸, 전망, 통찰력이 가져다주는 변화 (점 7개-내부에 점)

8 - 조직화를 통한 상황에 대한 지배, 통제, 자유로운 분리, 새로운 조

직화, 구조 조정 (점 8개-사각뿔 2개)

9 - 각 슈트의 최대 강도

10 - 모든 과정을 거친 후의 완성, 성숙함. 숙달, 경험

(4) 신성 기하학

기하학(幾何學, Geometry)은 공간의 성질과 공간 안의 물체에 대한 성질을 연구하는 수학의 한 분야로 고대 이집트와 메소포타미아의 토지 측량을 위한 도형의 연구에서 유래되었으며, 고대 그리스의 에우클레이데스에 의해 유클리드 기하학으로 체계화되었다. 기하학은 가장 구체적이면서 가장 추상적인 형태의 추론이기에 신성 기하학이라고 칭한다.

『만다라 명상&타로카드』는 이런 신성 기하적인 신비로움을 융합하여 제작하였다.

물론,『만다라 명상&타로카드』상담 과정에서는 내담자의 내면적인 정보를 표현하는 자유로움도 중요시한다.

(5) 컬러, 색채 심리

색채(컬러)는 인류가 시작되는 구석기 시대부터 우리의 삶을 지배하여 왔고, 지금까지도 색채(컬러)는 우리의 정신적, 육체적, 감정적인 영향까지 관여해 오고 있음이 많은 임상을 통해서 알려져 왔다. 또한, 색은 인간 상태에 대한 완벽한 표현이 될 수 있는 것으로 우리 모두에게 상징적인 언어로 대변하기도 하고, 보이지 않는 힘과 정신적인 세상과도 연결이 되어 스스로에 대해 더 나은 이해를 할 수 있도록 도움을 주고 있으며 우리의 정서적인 지지와 삶에 놀라운 변화를 줄 수 있는 촉

매제 역할을 해준다. 퍼스널 컬러를 이해하고, 컬러에 대한 개인별 특수 상황을 파악한다면, 문제 상황으로부터 쉽게 벗어나 자유로워질 수 있음은 물론, 개개인의 장단점으로 연계해 나아갈 수 있다.

> 나의 퍼스널 컬러를 파악할 수 있는 컬러 테스트 검사지(63문항)는 『컬러타로카드 상담전문가』(최옥환 외, 하움출판사)나 협회 전문 트레이너의 강의를 참조하기 바란다.

(6) 도형 심리

기하학적 도형을 통하여 내담자의 기질적 특성, 성격적 특성 및 심리적 영역을 파악하고 상담, 치유에 활용하는 방법이다. 기본적인 도형에는 우리의 존재적 의미와 삶의 방향, 이상을 담고 있어, 도형 심리를 통해 그 의미를 분석, 활용할 수 있다.

(7) 분석 심리

분석 심리학의 창시자는 칼 구스타프 융(Carl Gustav Jung: 1875~1961)이다. 융은 프로이트의 제자 겸 동료로 정신 분석학을 연구하다, 프로이트와의 이념 대립으로 인해, 분석 심리학을 창시하게 된다. 분석 심리학은 융의 온 생애를 통해서 무의식이 그 자신의 실현 역사로 이루어진 심층 심리학이고 경험 심리학이며 무의식의 심리학이라고 할 수 있다.

융은 1935년 Zurich 의사회에서 "개인적인 것은 아주 독특하고 예측할 수 없으며 일방적으로만 해석할 수 없기 때문에 치료자는 그의 모든 선입견과 기법을 포기하여야 하고, 모든 방법을 피하는 태도를 취하면서 순수한 대화적 과정에만 국한시켜야 한다. 따라서 치료자는 이제 치료의 주체가 아니고 개인의 발달 과정에서 '함께 체험하는 동반자'인 것이다."라고 말할 정도로 환자를 존중하고, 개개인의 차이를 중요시

했다. 융은 분석 심리학적 정신 치료의 도구로 꿈 분석(Dream Analysis)을 통한 치료, 그림 치료의 활용, 적극적 명상(Active Imagination)의 방법을 사용하였다. (인용, MBTI와 JUNG의 분석심리학, MBTI 연구소)

만다라 명상&타로카드를 기반으로 한 『만다라 코칭&실제』에서는 위와 같이 융의 분석 심리를 기본 방향으로 진행한다.

(8) 미술 치료

미술 치료는 내담자가 직접 미술 활동을 하거나 창작한 미술 작품이라는 매개를 통해 심리를 진단하고 치료하는 것을 말한다. 또한, 미술과 심리학의 결합을 통한 심리 치료의 일종으로 미술 활동을 통해 감정이나 내면세계를 표현하고 이완 등을 통해 감정적 스트레스를 완화시키는 방법이라고도 할 수 있다. 활동 중에 일어나는 창의적 생각이나 느낌을 통해 내담자 사고와 느끼는 감정을 비언어적으로 교류하고 공감한다는 것이 미술 심리치료의 특징이라고 할 수 있다. 이런 미술 치료의 방법을 통해 외부에 드러난 내담자의 상황은 물론, 보이지 않는 내면의 상황까지 파악할 수 있다.

(9) 명상

명상(瞑想, Meditation)이란, 여러 마음적 복잡함 및 심석 고통으로부터 벗어나 내면에 집중하는 것을 말한다. 이런 명상은 여러 치유의 심리적 효과를 입증받아 전 세계적으로 지역의 특성을 살리며, 다양한 방법을 내세우며 대중화되어 있다.

이 명상의 방법은 본 『만다라 명상&타로카드』에서도 주된 방법으로 사용한다. 편안함, 이완, 주시의 방법 등을 사용하여 내면을 이해하는 중요한 과정이다.

(10) 코칭

코칭(Coaching)이란, 코치와 코칭을 받는 사람이 파트너를 이루어, 스스로 목표를 설정하여 효과적으로 달성하며, 성장할 수 있도록 지원하는 방법이다.

코칭이 상담과의 다른 점은 상담은 내담자의 정서적인 고통을 상담자와의 상담을 통해 해결해 나가지만, 코칭은 정서적인 문제는 물론, 프로젝트, 진로 계획 등 일상에서의 다양한 주제를 다루며, 고통을 해결하기보다 목표 달성의 목적을 띠는 경우가 많다. 또한, 코칭은 필요로 하는 사람 스스로 목표를 달성하도록 서포트한다는 장점이 있다. 『만다라 명상&타로카드』에서 코칭은 상담을 포함하는 포괄적인 영역의 목표 달성과 문제 해결을 위한 방법으로 사용한다.

자, 이제 『만다라 명상&타로카드』의 세부적인 내용 속으로 들어가 보자.

만다라 명상&타로카드 78장을 편한 마음으로 보고 있으면, 마음의 편안함과 행복을 본인도 모르는 순간에 얻게 될 것이다.

아마도, 그림을 감상하는 것만으로도 독자들은 힐링, 치유를 느끼게 될 것이며, 개인적인 문제 상황이 해결되는 서프라이즈한 효과도 누리는 독자가 생길 것이다.

자, 행복의 순간, 힐링의 순간을 마음껏 누려 보자~

2.

만다라 명상&타로카드 전문 상담

✦ 가. 만다라 명상

앞서 설명한 대로, 명상(瞑想, Meditation)이란, 여러 마음의 복잡함, 고통으로부터 벗어나 내면에 집중하는 것을 말한다.

만다라 명상은 『만다라 명상&타로카드』의 78장 중 메이저 카드를 이루는 만다라 그림 22장으로 구성된다. 이는 메이저 카드가 우리 각 개인과 직접 연계된 인생사를 설명하기 때문이다. 물론 활동 목적에 적합한 '자존감 향상 만다라' 등의 영역별 전문 명상 만다라 워크북을 사용하면 더욱 효과적이다.

22장과 관련된 만다라 명상은 전문 명상 컬러링과 일반 명상 컬러링, 두 가지 용도의 도안을 갖는다.

먼저, 전문 명상 컬러링 도안은 3시간 이상의 상담과 병행하여 진행할 경우 사용하면 좋다.

내담자는 전문 명상 컬러링을 진행하는 데, 보통 1~2시간이 소요된다.

내담자의 컬러링 작업이 끝난 후, 컬러링 도안의 분석을 통해 내담자의 여러 정보를 파악하고 상담을 진행하려면 3시간 이상이 필요하다.

물론, 내담자의 컬러링 작업이 끝난 후, 다음 회기에서 분석, 상담을 연결하여 진행하는 것도 하나의 방법이 될 것이다. 이 경우에도 2시간 정도의 컬러링 시간이 필요하다. 전문 명상 컬러링에서는 특히, 상담자의 탁월한 분석 능력이 절대적으로 필요하며, 이를 통해 내담자의 전반적인 내면을 세세하게 파헤치며 정보를 파악, 성공적인 상담으로 이어나갈 수 있다.

일반 명상 컬러링 도안은 2시간 정도의 상담과 병행하여 진행할 경우 사용하면 좋다.

내담자는 전문 명상 컬러링을 진행하는 데, 보통 30분~1시간이 소요된다.

내담자의 컬러링 작업이 끝난 후, 컬러링 도안의 분석을 통해 내담자의 여러 정보를 파악하고 상담을 진행하려면 2시간 이상이 필요하다.

일반 명상 컬러링 또한, 내담자의 컬러링 작업이 끝난 후, 다음 회기에서 분석, 상담을 연결하여 진행하는 것도 하나의 방법이 될 것이다. 일반 명상 컬러링 도안은 내담자의 핵심적인 내면의 세계를 파악할 경우 유용하게 사용될 수 있다.

만다라 명상에서는 다양한 방법을 활용할 수 있으나, 여기에서는 독자들의 포괄적인 이해를 돕기 위해 '자존감 향상 만다라'의 샘플(제목: 쾌활함)로 만다라 명상을 위한 원본 그림, 전문 컬러링 도안, 일반 컬러링 도안, 빛 만다라를 그림을 통해 간단히 살펴보도록 한다.

뒷부분 〈부록〉에서 전체 '자존감 향상 만다라(약축)' 전문 명상 컬러링 도안을 소개한다.

| 자존감 향상 만다라 원본 그림 | 자존감 향상 만다라 전문 컬러링 |
| 자존감 향상 만다라 일반 컬러링 | 자존감 향상 빛 만다라 |

만다라 명상에 대한 자세한 내용은 『만다라 명상&타로카드를 기반

으로 한 만다라 코칭&실제(최옥환 외, 메이킹북스)』를 참고하면 많은 도움이 될 것이다.

　이제 만다라 명상을 위한 『만다라 명상&타로카드』중 22장의 제목, 의미, 간단 해설을 소개한다.

　제목은 유니버셜웨이트 타로카드와 연계된 『만다라 명상&타로카드』 고유의 제목이며, 의미는 명상이나 상담에 핵심적으로 적용할 수 있는 키워드이다. 간단 해설은 카발라, 신비주의 등과 연계된 『만다라 명상&타로카드』 그림의 제작 의도이다. 단, 지면상의 이유로 여기서는 독자들이 쉽게 이해할 수 있도록 핵심적인 '간단 해설'만을 수록했다.

0. 자유 - FREEDOM

만다라 의미 : 새로운 모험 – A Novel Adventure

『만다라 명상 카드』 간단 해설

자유로움을 만끽할 수 있는 만다라이다.

이 자유로움은 하나의 완성을 이룬 후의

한 단계 업된 자유로움일 수도 있으며,

무엇인가 최초 시작을 위한 자유로움일 수도 있다.

하얀색이 에워싼 중심에는 주황색 원이 크게 자리 잡고 있다.

이 주황색 원은 즐거움, 쾌락을 추구한다.

주황색 타원 10개가 중심부의 원을 둘러싸고 있으며,

맨 밖의 테두리에 위치한 10개의 작은 원까지 10이라는

반복된 원들로 구성되어 강조되어 있다.

10개의 새싹이 에너지를 발산하며 세상을 향하여 나아가고 있다.

10이라는 수는 1+0=1이라는 수비학의 원리에 의해

시작 또는 한 단계 업된 새로운 시작을 의미한다.

자유로움을 마음껏 누려 보자~

새로운 모험도 즐겨 보자~

전문 명상 컬러링 도안

단순화 명상 컬러링 도안

1. 창조 - CREATIVITY

만다라 의미 : 창조적 능력 – Creative Prowess

『만다라 명상 카드』 간단 해설

창조로움을 느낄 수 있는 만다라이다.
무(無)에서 유(有)를 창조할 수도 있고,
기존의 상황을 업서서 더 큰 창조를 이룰 수도 있다.
꽃잎이 6개로 형상화된 것은 6이라는 수비학이 의미하듯이,
이상적인 변화를 추구하는 강한 의지를 의미한다.
빨간 원 안의 만다라가 열정을 표출하듯이,
강한 의지를 발휘하며, 원 밖의 세상으로 뻗어 나가고 있다.

창조적 능력을 마음껏 펼쳐 보자~
강한 의지도 발휘하자~

전문 명상 컬러링 도안

단순화 명상 컬러링 도안

2. 지혜 - WISDOM

만다라 의미 : 신비로운 지혜 - Mystical Wisdom

『만다라 명상 카드』 간단 해설

지혜로움을 느낄 수 있는 만다라이다.
이 지혜로움은 내면의 지식과 현명함, 그리고 직관의 융합이라고 할 수 있다.
내면의 지혜로움에 귀를 기울여 본다면 현명한 결과를 이끌 수 있다.
중심 부근의 보라색 만다라는 영성적이고
종교적 접근이 이루어지는 초월을 상징한다.
가장 중앙에 이런 보라색 십자가가 자리 잡고 있으며,
8이라는 숫자가 강조되어 있다.
수비학에서의 8은 재구조화를 통해 체계적인 안정을 다짐함을 의미한다.
안정, 지식을 의미하는 노란색과 초월적인 지혜를 의미하는 보라가 융합되어
신비로운 지혜를 상징하고 있다.

현명함을 지혜롭게 마음껏 발휘해 보자~
마음의 센터(중심)를 느껴 보자~

전문 명상 컬러링 도안

단순화 명상 컬러링 도안

3. 풍요 - ABUNDANT

만다라 의미 : 풍요로운 여유 – An Abundant Relaxation

『만다라 명상 카드』 간단 해설

풍요로움을 만끽할 수 있는 만다라이다.
이 풍요로움은 경제적, 물질적 기반의 풍요로움으로 인해,
내적인 여유로움과 평안함을 동반하여 느낄 수 있다.
물질적 풍요, 생산을 의미하는 씨의 상징이 4개의 노란 타원으로 그려졌다.
만다라 전반에서 균형을 위한 노란색, 초록색, 파란색이 느껴진다.
안정을 추구하는 노란색 원이 이중으로 테두리를 장식하고 있다.
노란색 테두리에 있는 흰 점 12개는 안정 추구를 의미하는 업그레이드된
3(1+2)을, 빨간색 점 4개는 소유욕과 물질적 추구를 상징한다.

풍요로움과 여유로움을 마음껏 누려 보자~
내 마음의 평정을 찾아보자~

전문 명상 컬러링 도안

ⓒ

단순화 명상 컬러링 도안

ⓒ

4. 권위 - POWER

만다라 의미 : 강인한 힘 – Resilient Power

『만다라 명상 카드』 간단 해설

강인한 힘을 느낄 수 있는 만다라이다.
이 강인한 힘은 조직에서의 권위일 수도 있고,
추진에 있어서 주위에서 감히 넘볼 수 없는 강인한 파워력일 수도 있다.
만다라 가운데의 빨간 원에서 강력한 열정을 느낄 수 있다.
하지만, 그 빨간 원의 중심에서는 강력한 열정과 다른 무엇인가가 있다.
그 다른 무엇은 순수함일 수도 있고,
열정에 대비되는 또 다른 무엇일 수도 있다.
수비학 4를 의미하는 사각형 등의 도형이 두드러지게 상징화되었다.

강인함을 마음껏 누려 보자~
오직, 순수한 열정만을 느껴 보자~

전문 명상 컬러링 도안

단순화 명상 컬러링 도안

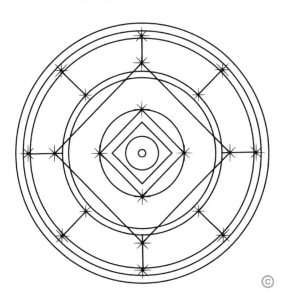

5. 조언 - ADVISE

만다라 의미 : 현명한 조언자 – A Wise Advisor

『만다라 명상 카드』 간단 해설

현명함을 느낄 수 있는 만다라이다.
이 현명함은 조언이 필요한 상황일 수도 있으며,
지금 상황이 참다운 조언일 수도 있다. 중심의 빛이 선명하지 않다.
바로 지금의 이 과정이 중심의 빛을 찾기 위한 과정이다.
종교적인 지도자의 조언일 수도 있고, 부모님이나 선생님의 조언일 수도 있다.
사각형 2개가 모여, 새로운 안정된 구조체인 8각형을 이룬다.
삼각형 2개(3+2=5)가 정, 역으로 융합되어
이상적인 도형인 육각형으로 변화되고 있다.

참다운 조언, 현명함을 생각해 보자~
내 깊은 마음속의 참다운 소리를 들어 보자~

전문 명상 컬러링 도안

단순화 명상 컬러링 도안

6. 사랑 - LOVE

만다라 의미 : 사랑과 선택 – Love And Choice

『만다라 명상 카드』 간단 해설

사랑을 만끽할 수 있는 만다라이다.
이 사랑은 순수한 사랑일 수도 있으며,
무엇인가의 인연을 이루는 선택의 과정일 수도 있다.
운명의 인연을 하트로 연결하여 그려 냈다.
또한, 분홍색과 빨간색의 조화로 강한 마음의 끌림과
파릇한 사랑을 표현했다.
중간 과정의 여러 과정을 통해 안쪽의
빨간 원에서 분홍색 원으로 3개의 원이 확장을 이루었고,
만다라 외곽으로 노란색 원 테두리 3개로 완성을 이루었다.(3+3=6)

순수한 사랑을 마음껏 누려 보자~

마음속 깊이 진정으로 원하는 바를 느껴 보자~

전문 명상 컬러링 도안

단순화 명상 컬러링 도안

7. 추진 - DRIVING FORCE

만다라 의미 : 강한 추진력 - Powerful Driving Force

『만다라 명상 카드』 간단 해설

강한 추진력을 만끽할 수 있는 만다라이다.
이 추진력은 목표 달성을 위한 강한 추진으로, 강한 의지를 수반한다.
하지만, 주위를 살펴보고, 지나온 길을 되짚어 볼 필요가 있다.
안쪽의 흰색과 바깥쪽의 검은색은 서로 조화를 이룰 때
강한 추진력을 행사할 수 있다.
만일, 서로 부조화를 이룰 때는 숫자 7의 수비학의 의미처럼,
이겨 내기 힘든 상황, 변화로 흘러가게 된다.

강한 추진력을 마음껏 발휘해 보자~
주위와의 조화로움을 느껴 보자~

전문 명상 컬러링 도안

단순화 명상 컬러링 도안

8. 용기 - BRAVERY

만다라 의미 : 내적인 자신감 - Inner Confidence

『만다라 명상 카드』 간단 해설

강한 자신감을 만끽할 수 있는 만다라이다.

이 자신감은 강한 욕망과 용기에서 비롯된다.

외유내강(外柔內剛),

'겉은 부드럽고 순한 듯하나 속은 꿋꿋하고 곧음'을 의미한다.

중심부의 무한대(∞)는 무한 능력을 의미한다.

그런데, 그 무한 능력이 파란색 원 안에 있다.

즉, 무한대(∞)의 무한 능력은 내적인 능력, 용기를 의미한다.

순수함을 의미하는 8개의 흰 상징의 끝부분에 빨간색의 점으로 순수하지만,

열정이 숨겨져 있음을 상징한다.

강한 자신감을 마음껏 펼쳐 보자~

내면의 능력을 느껴 보자~

전문 명상 컬러링 도안

©

단순화 명상 컬러링 도안

©

9. 성찰 - INTROSPECTION

만다라 의미 : 내적인 성찰 – Introspection

『만다라 명상 카드』 간단 해설

내면적 성찰을 느낄 수 있는 만다라이다.
이 내면적인 성찰이란, 본인의 의지에 의한 자발적 과정으로,
추후 자기 자신의 가치를 향상시킬 수 있는 과정이다.
내면에서 육각 별이 빛을 발하고 있다.
이제 만다라 전체에 빛이 달해, 밝음의 만다라로 변화될 것이다.
한 자리 숫자의 최대치인 9를 상징하는 이미지를 많이 볼 수 있다.
수비학 9는 고독, 최대치를 의미한다.

내적인 성찰의 시간을 가져 보자~

내면의 목소리에 귀 기울여 보자~

전문 명상 컬러링 도안

단순화 명상 컬러링 도안

10. 순환 - CIRCULATION

만다라 의미 : 운명적인 순환 – The Destined Cycle

『만다라 명상 카드』 간단 해설

자연적인 순환을 느낄 수 있는 만다라이다.
이 자연적인 순환은 의지를 발휘하며 억지로 이루기 어려운 자연적인 흐름이다.
이 자연적인 순환은 운명적 순환처럼 중요한 순환으로 진행된다.
중심부의 원과 연결된 4개의 방향은 4원소,
즉 불, 물, 공기, 펜타클을 의미한다.
중심부의 빨간 회오리는 구름의 상징과 연계된다.
즉, 이 상황은 인위적으로 만들어 간다고 하기보다는
자연적인 흐름에 따른 상황이다.

자유로운 순환, 흐름을 느껴 보자~
외부의 흐름에 내 몸을 맡겨 보자~

전문 명상 컬러링 도안

©

단순화 명상 컬러링 도안

©

11. 정의 - JUSTICE

만다라 의미 : 합리적 판단 – Reasonable Judgment

『만다라 명상 카드』 간단 해설

합리적인 판단을 느낄 수 있는 만다라이다.
이 합리적인 판단은 옳고 그름, 정과 반이 명확하다.
또한, 현재는 감정에 이끌리기보다 합리적인 결정이
중요한 시기임을 안내한다.
중심의 네 도형이 동서남북으로 균형이 맞추어져 있다.
이후 발산되는 도형도 모두 균형이 맞추어져 있다.
외곽 부분의 오각 도형도 한쪽으로 치우치지 않고
교대로 형태의 균형을 맞추고 있다.

합리적인 판단을 발휘해 보자~
내면의 냉정함과 공평함을 느껴 보자~

전문 명상 컬러링 도안

단순화 명상 컬러링 도안

12. 정체 - STAGNATION

만다라 의미 : 상황적 정체 – A Situational Stagnation

『만다라 명상 카드』 간단 해설

상황적 정체를 느낄 수 있는 만다라이다.
이 상황적 정체는 잠깐의 여유가 필요한 상황일 수 있으며.
눈에 보이는 활동보다 눈에 보이지 않는 내면의 능력을
발휘하는 상황일 수도 있다.
만다라 중심부에 4를 상징하는 상징이 노란색으로 3번이 반복되어 있다.
4라는 안정을 추구하기 위한 내면의 확장(3)이 이루어짐을 의미하며,
12번 정체 카드의 숫자(4×3=12)를 상징한다.
빨간색과 파란색이라는 반대색의 표현으로 한쪽으로 이끌리지 않으며,
외부적인 정체, 내부적인 활발함이 표현됐다.

내면의 능력을 마음껏 발휘해 보자~

차분함! 내면에 집중해 보자~

전문 명상 컬러링 도안

단순화 명상 컬러링 도안

13. 죽음 - DEATH

만다라 의미 : 종말과 시작 – The End And A Beginning

『만다라 명상 카드』 간단 해설

종결을 통한 시작을 느낄 수 있는 만다라이다.
이 종결은 계속되어 왔던 상황의 종말을 의미하며,
시작은 기존 상황보다 한 단계 업그레이드된 새로운 시작을 의미한다.
모든 것의 일단락을 의미하는 중심의 검은 만다라 속에서
새로운 시작을 알리는 상징을 표현했다.
이로써, 사방으로 새로운 전개가 이루어진다.
13이라는 숫자는 4(1+3)의 한 단계 업된 수로,
4개의 만다라를 종말과 시작을 의미하여 2세트, 8개로 표현했다.
수비학에서 8은 재구조화를 의미한다.

새로운 시작으로 나아가자~

미래를 꿈꾸어 보자~

전문 명상 컬러링 도안

단순화 명상 컬러링 도안

14. 절제 - MODERATION

만다라 의미 : 적절한 조절 – An Adequate Adjustment

『만다라 명상 카드』 간단 해설

적절한 조절을 느낄 수 있는 만다라이다.
이 적절한 조절은 양쪽에 모두 조화를 이루는 균형적 조절을 의미하며,
한쪽에 너무 치우치지 않는 절제를 의미하기도 한다.
중심에 그려진 컵의 상징은 어느 한쪽에 치우치지 않음, 균형을 표현했다.
또한, 만다라에 많이 표현된 9라는 숫자는 신이 인간에게
부여한 최대의 숫자로 과하지 않음, 적절함을 의미한다.
외곽에 표현된 18개의 초록 상징은 균형과 9(1+8)라는
과욕을 부리지 않는 적절함을 의미한다.

적절한 조화로움을 느껴 보자~
마음의 평정, 마음의 평형을 느껴 보자~

전문 명상 컬러링 도안

단순화 명상 컬러링 도안

15. 집착 - OBSESSION

만다라 의미 : 한쪽에 치우침 - Biased

『만다라 명상 카드』 간단 해설

집착을 느낄 수 있는 만다라이다.
이 집착은 정상적이지 않은 반사회적인 편향일 수 있고,
한쪽에 치우친 불균형일 수도 있다.
가장 중심부의 검은색 만다라는 모든 색을 흡수하는 색이며,
그 바깥의 흰색은 모든 색을 반사하는 색이다. 적절함이 없다.
그 사이에 빨간색 심장, 마음이 갇혀 있다.
빨간색 점선은 행동하지 말아야 하는 상황에서의
간헐적인 행동을 의미한다.

한쪽에 치우침에서 벗어나 보자~

현재의 마음을 느껴 보자. 그리고 균형을 잡아 보자~

전문 명상 컬러링 도안

단순화 명상 컬러링 도안

16. 변화 - CHANGE

만다라 의미 : 갑작스러운 변화 – A Sudden Transition

『만다라 명상 카드』 간단 해설

변화를 느낄 수 있는 만다라이다.
이 변화는 예정되어 서서히 이루어지는 변화라기보다는
예상하지 못한 갑작스러운 변화를 의미한다.
만다라 중심부에는 갑작스러운 변화를 상징하는 번개가 그려져 있다.
이 번개는 인위적인 상황으로 만들어지는 것이 아니라
자연적인 상황임을 안내한다.
만다라에는 10이라는 개수를 상징화했다.
10은 1(1+0=1)의 한 단계 업된 수로 이 상황이 지나면
새로운 시작이 이루어질 수 있음을 상징한다.

갑작스러운 변화에 잘 대처해 보자~

이 또한 지나가리라. 겸허한 마음을 느껴 보자~

전문 명상 컬러링 도안

ⓒ

단순화 명상 컬러링 도안

ⓒ

17. 희망 - HOPE

만다라 의미 : 희망찬 미래 – A Promising Future

『만다라 명상 카드』 간단 해설

희망을 느낄 수 있는 만다라이다.
이 희망은 새로운 시작에 대한 긍정적인 상황이며,
현재 상황보다 훨씬 긍정적인 미래의 상황을 의미한다.
에메랄드는 사랑과 부활, 행복과 행운을 의미하는 색으로
에메랄드색으로 강조된 상징은 희망찬 미래를 상징한다.
또한, 에메랄드색의 만다라는 지금까지의 상황을 새롭게 재구조화한다는
8이라는 수비학의 상징적 의미로 표현되었다.

희망찬 미래를 마음껏 기대해 보자~

마음을 활짝 열고 아름다운 세상으로 나아가자~

전문 명상 컬러링 도안

단순화 명상 컬러링 도안

18. 근심 - WORRY

만다라 의미 : 불안한 상황 – An Insecure Situation

『만다라 명상 카드』 간단 해설

불안함을 느낄 수 있는 만다라이다.
이 불안한 상황은 여러 가지 안정되지 못한 상황을 의미하기도 하고,
확실히 결정되지 못한 내면의 근심, 변화를 의미하기도 한다.
17번 희망 명상 카드와 같이 만다라 중심에 빛이 상징되어 있으나,
이 빛은 백(왼쪽)과 흑(오른쪽) 사이에서의 혼돈 상황이다.
만다라의 중심부에 태양과 달의 정체성이 불확실한 상징을 살펴볼 수 있다.

편안한 호흡을 통해, 불안한 상황에서 벗어나 보자~

내면에 집중해서, 진정한 내면을 이해해 보자~

전문 명상 컬러링 도안

단순화 명상 컬러링 도안

19. 행복 - HAPPINESS

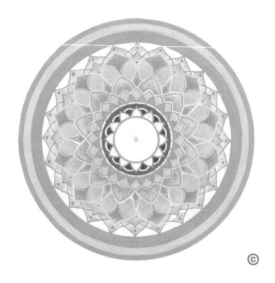

만다라 의미 : 성취의 에너지 - Energy Of Achievement

『만다라 명상 카드』 간단 해설

행복을 만끽할 수 있는 만다라이다.
이 행복은 성취의 긍정적 에너지로,
계획했던 프로젝트의 성공, 마음먹었던 상황의 성취를 의미한다.
만다라의 중심부에 강한 태양이 12개의 후광을 내며 상징화되어 있다.
이는 지금까지의 상황적 완성을 의미하며,
동시에 결과에 대한 행복을 의미한다.
빨간색 만다라 밖에는 안정과 행복을 의미하는
노란색, 황금색 만다라가 빛을 발하고 있다.

성취의 에너지를 마음껏 누려 보자~

지나온 날들을 되새기며, 행복함을 마음껏 누려 보자~

전문 명상 컬러링 도안

단순화 명상 컬러링 도안

20. 심판 - JUDGEMENT

만다라 의미 : 보상과 판결 - Reward and Judgment

『만다라 명상 카드』 간단 해설

결과를 느낄 수 있는 만다라이다.
이 결과는 지금까지 계획하여 행동하여 온 과정에 대한 결과물로,
최선을 다한 사람은 큰 결실을 얻게 된다.
만다라의 중심부에 바람을 상징하는 바람개비와 항해 방향을 결정하는
배의 방향키가 상징화되어 있다.
이는 주인공에 의해 방향이 결정됨을 상징한다.
인과응보~ 뿌린 대로 거두어들인다.

편안히 결과를 기다려 보자~

인생의 주인공은 바로 나다! 자신감을 갖자~

전문 명상 컬러링 도안

단순화 명상 컬러링 도안

21. 완성 - COMPLETION

만다라 의미 : 완성과 또 다른 시작 – A Completion And Another
Beginning

『만다라 명상 카드』 간단 해설

완성을 느낄 수 있는 만다라이다.
이 완성은 최종적인 완성, 큰 결실을 의미하며,
이어서 무엇인가 새로운 시작을 알리는 완성일 수도 있다.
중심부의 만다라는 12를 상징한다.
즉, 지금까지의 여러 과정에 대한 긍정적인 성과, 결과를 의미한다.
특히, 가운데 만다라의 테두리는 빨간색의 활동력과
보라색의 정신력이 융합된, 완성 후의 새로운 시작을 의미한다.
물론, 이 둘의 균형을 위해 초록색 만다라가 상징화되었다.

결과, 완성을 마음껏 누려 보자~
만족스러운 결과에 뿌듯함을 느껴 보자. 그리고 다시 출발하자~

전문 명상 컬러링 도안

단순화 명상 컬러링 도안

✦ 나. 만다라 타로카드

『만다라 명상&타로카드』의 78장 중 특히, 메이저 카드를 이루는 22장으로 만다라 명상이 구성된다. 메이저 카드 22장의 세세한 의미는 앞의 「만다라 명상」 편을 참고하기 바란다.

『만다라 명상&타로카드』 편에서는 메이저 카드 22장의 주제어, 핵심 키워드, 핵심 문장과 마이너 카드 56장의 제목, 의미, 간단 해설, 핵심 키워드로 구성하였다. 「만다라 명상」 편에서의 메이저 카드 22장처럼 제목은 유니버셜웨이트 타로카드와 연계된 『만다라 명상&타로카드』 고유의 제목이며, 의미는 명상이나 상담에 핵심적으로 적용할 수 있는 키워드이다. 간단 해설은 카발라, 신비주의 등과 연계된 『만다라 명상&타로카드』 그림의 제작 의도이다. 마찬가지로, 지면상의 이유로 전문적인 자세한 설명은 독자들이 쉽게 이해할 수 있도록 핵심적인 해설만을 수록했다.

유니버셜웨이트와 연계한 『만다라 명상&타로카드』는 카발라, 신비주의, 수비학적인 요소를 융합시킨 카드이므로, 전체 78장의 『만다라 명상&타로카드』를 유니버셜웨이트 타로카드의 이미지와 같이 배열하여 비교하며 파악하기 수월하도록 구성하였다.

또한, 전체 78장의 『만다라 명상&타로카드』의 핵심적인 키워드를 수록하여, 상담에 용이하도록 하였다.

앞 단원 1. 만다라 명상&타로카드 상담 개론에서 소개한 만다라 타로카드에 적용된 4원소의 의미를 오컬트, 신비주의 요소로 간단히 추가 소개하면 다음과 같다.

타로카드에는 4원소라는 상징적인 요소의 작용이 큰 영향력을 끼친다.

이 4원소는 고대부터 인간의 삶에 깊숙이 상징적인 요소로 자리 잡고 있으며, 불, 물, 공기, 흙이라는 대상으로 표현된다. 타로카드에서 이 불, 물, 공기, 흙은 각각 완드, 컵, 소드, 펜타클과 연계된다.

만다라 타로카드에서는 이런 의미를 상징적인 이미지로 표현했다.

특히, 4원소 중 불과 공기, 즉 완드와 소드는 에너지를 외부로 발휘하는 양의 에너지 성향이고, 물과 흙, 즉 컵과 펜타클은 에너지를 내부로 발휘하는 음의 에너지 성향이다.

이것은 에너지 방향성으로 설명할 수 있다.

불과 공기, 즉 완드와 소드의 양의 에너지는 적극적이고 능동적으로 활동력을 발휘하여 목표를 성취하려는 성향이고, 물과 흙, 즉 컵과 펜타클의 음의 에너지는 소극적이고 수동적으로 수용하여 목표를 성취하려는 성향이다.

이를 만다라 마이너 타로카드에서 점 이미지로 상징화하였다.

자세히 살펴보면 불과 공기, 즉 완드와 소드의 양의 에너지는 중심(CORE)에서 외부로 뻗어 나가는 상징, 확산해 나가는 상징으로, 물과 흙, 즉 컵과 펜타클의 음의 에너지는 외부에서 중심(CORE)으로 들어오는 상징, 수렴하는 상징으로 표현되었음을 알 수 있다.

기타 전문적인 만다라 타로카드의 분석 및 안내는 지면 한계상 온·오프라인의 전문 강의에서 선보이도록 한다.

0. FREEDOM. (자유)　　　　0. THE FOOL.

새로운 모험
A Novel Adventure

FREEDOM.

THE FOOL.

『만다라 타로카드』 핵심 키워드&핵심 문장

제목	FREEDOM. (자유)
주제어	A Novel Adventure (새로운 모험)
핵심 키워드	자유, 새로운 모험, 순수, 무책임, 충동적, 무계획, 무소유, 무모함
핵심 문장	자유로움을 마음껏 누려라. 새로운 모험이 기다린다. 주변을 신중히 살펴봐라.

I. CREATIVITY. (창조)　　　I. THE MAGICIAN.

『만다라 타로카드』 핵심 키워드&핵심 문장

제목	CREATIVITY. (창조)
주제어	Creative Prowess (창조적 능력)
핵심 키워드	창조적 능력, 다재다능, 영리하고 냉철함, 독창적이고 분석적, 탁월한 의사소통 능력
핵심 문장	창조적 능력을 마음껏 펼쳐라. 강한 의지를 발휘하라. 독창적인 창의력을 발휘하라.

II. WISDOM. (지혜)　　II. THE HIGH PRIESTESS.

신비로운 지혜
Mystical Wisdom

WISDOM.

THE HIGH PRIESTESS.

『만다라 타로카드』 핵심 키워드&핵심 문장

제목	WISDOM. (지혜)
주제어	Mystical Wisdom (신비로운 지혜)
핵심 키워드	신비로운 지혜, 직관적, 이중적, 빠른 육감, 주위와 조화, 신중한 언행
핵심 문장	현명함을 지혜롭게 마음껏 발휘하라. 본인의 마음, 직감을 믿어라. 마음의 센터(중심)를 느껴 보라.

III. ABUNDANT. (풍요)　　　III. THE EMPRESS.

『만다라 타로카드』 핵심 키워드&핵심 문장

제목	ABUNDANT. (풍요)
주제어	An Abundant Relaxation (풍요로운 여유)
핵심 키워드	풍요로운 여유, 사랑스럽고 아름답다, 넉넉함, 성공적, 열정적, 만족스럽다
핵심 문장	풍요로움과 여유로움을 마음껏 누려라. 마음속의 열정을 느껴라. 내 마음의 평정을 찾아라.

IV. POWER. (권위)　　　　IV. THE EMPEROR.

강인한 힘
Resilient Power

POWER.

THE EMPEROR.

『만다라 타로카드』 핵심 키워드&핵심 문장

제목	POWER. (권위)
주제어	Resilient Power (강인한 힘)
핵심 키워드	강인한 힘, 권위적, 파워력, 지배적, 강한 의지, 독불장군, 강한 고집, 리더십
핵심 문장	강인함을 마음껏 발휘하라. 강한 의지로 추진하라. 오직, 순수한 열정만을 느껴라.

V. ADVISE. (조언)

V. THE HIEROPHANT.

『만다라 타로카드』 핵심 키워드&핵심 문장

제목	ADVISE. (조언)
주제어	A Wise Advisor (현명한 조언자)
핵심 키워드	현명한 조언(자), 지혜로운 사람, 전통 중시, 교육자, 중재(개)
핵심 문장	내면의 현명함을 느껴 보라. 참다운 조언을 생각해 보라. 내 깊은 마음속의 참다운 소리를 들어 보라.

VI. LOVE. (사랑)

VI. THE LOVERS.

『만다라 타로카드』 핵심 키워드&핵심 문장

제목	LOVE. (사랑)
주제어	Love And Choice (사랑과 선택)
핵심 키워드	사랑과 선택, 인연, 결혼, 아름다움, 유혹, 신중한 선택, 감언이설
핵심 문장	순수한 사랑을 마음껏 누려 보라. 대인 관계에 유의하라. 마음속 깊이 진정으로 원하는 바를 느껴 보라.

VII. DRIVING FORCE. (추진)　　　VII. THE CHARIOT.

강한 추진력
Powerful Driving Force

DRIVING FORCE.

『만다라 타로카드』 핵심 키워드&핵심 문장

제목	DRIVING FORCE. (추진)
주제어	Powerful Driving Force (강한 추진력)
핵심 키워드	강한 추진력, 강한 의지, 강한 자신감, 진취적 목적, 적극적 행동, 성공, 승리
핵심 문장	강한 추진력을 마음껏 발휘해 보라. 목적을 향해 나아가라. 주위와의 조화로움을 느껴 보라.

VIII. BRAVERY. (용기)　　　　VIII. STRENGTH.

내적인 자신감
Inner Confidence

BRAVERY.

STRENGTH.

『만다라 타로카드』 핵심 키워드&핵심 문장

제목	BRAVERY. (용기)
수세어	Inner Confidence (내적인 자신감)
핵심 키워드	내적인 자신감, 용기, 인내, 개성의 힘, 외유내강, 지혜로움, 수용할 줄 아는
핵심 문장	강한 자신감을 마음껏 펼쳐 보라. 내면의 유연함을 발휘하라. 내면의 능력을 느껴 보라.

IX. INTROSPECTION. (성찰)   IX. THE HERMIT.

『만다라 타로카드』 핵심 키워드&핵심 문장

제목	INTROSPECTION. (성찰)
주제어	Introspection (내적인 성찰)
핵심 키워드	내적인 성찰, 자아 성찰, 고민, 일시 후퇴, 지혜, 탐구, 연구, 철학적인
핵심 문장	내적인 성찰의 시간을 가져 보라. 행동에 신중함을 기해 보라. 내면의 목소리에 귀 기울여 보라.

X. CIRCULATION. (순환)　　　X. WHEEL of FORTUNE.

운명적인 순환
The Destined Cycle

CIRCULATION.

WHEEL of FORTUNE.

『만다라 타로카드』핵심 키워드&핵심 문장

제목	CIRCULATION. (순환)
주제어	The Destined Cycle (운명적인 순환)
핵심 키워드	운명적인 순환, 뜻하지 않은 행운, 긍정적 변화, 터닝 포인트, 작은 일의 완성,
핵심 문장	자유로운 순환, 흐름을 느껴 보라. 현재 상황을 긍정적으로 인식하라. 외부의 흐름에 내 몸을 맡겨 보라.

XI. JUSTICE. (정의)

XI. JUSTICE.

합리적 판단
Reasonable Judgment

JUSTICE.

『만다라 타로카드』 핵심 키워드&핵심 문장

제목	JUSTICE. (정의)
주제어	Reasonable Judgment (합리적 판단)
핵심 키워드	합리적 판단, 균형, 공평함, 정의감, 객관적이고 정확함, 냉정함, 공정한 결과
핵심 문장	합리적인 판단을 발휘하라. 마음속의 정의로움을 느껴 보라. 냉정함과 공평함을 느껴 보라.

XII. STAGNATION. (정체)　　　　XII. THE HANGED MAN.

『만다라 타로카드』 핵심 키워드&핵심 문장

제목	STAGNATION. (정체)
주제어	A Situational Stagnation (상황적 정체)
핵심 키워드	상황적 정체, 반전, 희생, 봉사, 지금은 때가 아니다. 새로운 사고의 필요성
핵심 문장	내면의 능력을 마음껏 발휘하라. 인내하며 받아들여라. 차분함! 내면에 집중하라.

XIII. DEATH. (죽음)

XIII. DEATH.

『만다라 타로카드』 핵심 키워드&핵심 문장

제목	DEATH. (죽음)
주제어	The End And A Beginning (종말과 시작)
핵심 키워드	종말과 시작, 과정의 마무리, 파멸, 고통, 절망, 새로운 변화, 삶의 변화
핵심 문장	새로운 시작으로 나아가라. 새로운 것을 받아들여라. 희망찬 미래를 꿈꾸어라.

XIV. MODERATION. (절제)　　　XIV. TEMPERANCE.

『만다라 타로카드』 핵심 키워드&핵심 문장

제목	MODERATION. (절제)
주제어	An Adequate Adjustment (적절한 조절)
핵심 키워드	적절한 조절, 조화와 균형, 중용, 원활한 교류, 절제, 절충, 통합, 인내력
핵심 문장	적절한 조화로움을 느껴 보라. 한쪽에 치우침을 피하라. 마음의 평형, 마음의 평정심을 가지라.

XV. OBSESSION. (집착)   ## XV. THE DEVIL.

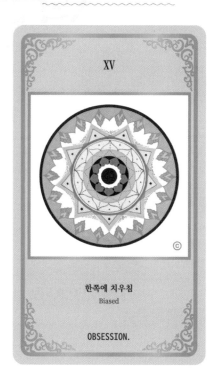

『만다라 타로카드』 핵심 키워드&핵심 문장

제목	OBSESSION. (집착)
주제어	Biased (한쪽에 치우침)
핵심 키워드	한쪽에 치우침, 유혹, 속박, 구속, 집착, 불안, 중독, 망상, 도가 넘는, 실패, 부적절한 관계, 부정적인 사고
핵심 문장	한쪽에 치우침에서 벗어나라. 부정적인 사고에서 벗어나라. 현재의 마음을 느껴 보고 균형을 잡아 보라.

XVI. CHANGE. (변화)   XVI. THE TOWER.

갑작스러운 변화
A Sudden Transition

CHANGE.

『만다라 타로카드』 핵심 키워드&핵심 문장

제목	CHANGE. (변화)
주제어	A Sudden Transition (갑작스러운 변화)
핵심 키워드	갑작스러운 변화, 중대한 위기 상황, 안정의 몰락, 관계의 파괴, 비밀 거짓이 드러남, 파멸, 이별, 붕괴, 치명적인
핵심 문장	갑작스러운 변화에 잘 대처하라. 크게 호흡을 한번 해 보라. 이 또한 지나가리라. 겸허한 마음을 느껴라.

XVII. HOPE. (희망)

XVII. THE STAR.

『만다라 타로카드』 핵심 키워드&핵심 문장

제목	HOPE. (희망)
주제어	A Promising Future (희망찬 미래)
핵심 키워드	희망찬 미래, 사랑의 시작, 창조적인 발상, 좋은 결과, 이상적, 낙관주의, 믿음, 신념
핵심 문장	희망찬 미래를 마음껏 그려 보라. 마음을 활짝 열고 아름다운 세상으로 나아가라. 믿음을 가져라. 곧 좋은 결과가 나오리라.

XVIII. WORRY. (근심)

XVIII. THE MOON.

『만다라 타로카드』 핵심 키워드&핵심 문장

제목	WORRY. (근심)
주제어	An Insecure Situation (불안한 상황)
핵심 키워드	불안한 상황, 명확하지 않은, 두려움, 속임수, 사기나 배신, 애매한, 중상모략, 갈등, 동요
핵심 문장	편안한 호흡을 통해, 불안한 상황에서 벗어나 보라. 내면에 집중해서 주변 상황을 직시하라. 내면에 집중해서, 진정한 내면을 이해하라.

XIX. HAPPINESS. (행복)

XIX. THE SUN.

『만다라 타로카드』 핵심 키워드&핵심 문장

제목	HAPPINESS. (행복)
주제어	Energy Of Achievement (성취의 에너지)
핵심 키워드	성취의 에너지, 성공. 목표 달성. 행복. 기쁨, 탄생, 축복, 좋은 결과, 문제 해결
핵심 문장	성취의 에너지를 마음껏 누려 보라. 긍정적 마인드를 가져라. 지나온 날들을 되새기며, 행복함을 마음껏 누려 보라.

XX. JUDGEMENT. (심판)

XX. JUDGEMENT.

보상과 판결
Reward and Judgment

JUDGEMENT.

『만다라 타로카드』 핵심 키워드&핵심 문장

제목	JUDGEMENT. (심판)
주제어	Reward and Judgment (보상과 판결)
핵심 키워드	보상과 판결, 중요한 변화의 시기, 회복, 확신, 인과응보(뿌린 대로 거두어들인다), 꿈을 성취하다
핵심 문장	편안히 결과를 기다려 보라. 확신을 가져라. 곧 이루어진다. 인생의 주인공은 바로 나다! 자신감을 가져라.

XXI. COMPLETION. (완성)   XXI. THE WORLD.

『만다라 타로카드』 핵심 키워드&핵심 문장

제목	COMPLETION. (완성)
주제어	A Completion And Another Beginning (완성과 또 다른 시작)
핵심 키워드	완성과 또 다른 시작, 성공, 해피 엔딩, 큰 사이클의 완성, 목표를 달성하다, 결혼, 노력한 대가를 받다, 완전한 상태를 이루다, 새로운 시작
핵심 문장	결과, 완성을 마음껏 누려 보라. 내 몸 전체에 꽉 찬 에너지를 느껴 보라. 만족스러운 결과에 뿌듯함을 느껴 보자. 그리고, 다시 출발하라.

I. ENERGY. (에너지)

ACE of WANDS.

강력한 에너지
A Powerful Energy

ENERGY.

『만다라 타로카드』 간단 해설&핵심 키워드

유니버셜웨이트 타로카드의 ACE of WANDS.와 연계되는 위 만다라 타로카드의 제목은 ENERGY. (에너지)이다. 불이 에너지를 발하기 시작했다. 이 에너지는 무(無)에서 유(有)의 창조이며, 암흑(暗黑)에서 광명(光明)을 이루는 에너지이다.

키워드 : 에너지, 창조력, 새로운 시작, 성공, 기회, 자신감, 주도적

핵심 키워드	A Powerful Energy (강력한 에너지)

계획의 확장
An Expansion Of Plan

EXPANSION.

『만다라 타로카드』 간단 해설&핵심 키워드

유니버셜웨이트 타로카드의 TWO of WANDS.외 연계되는 위 만다라 타로카드의 제목은 EXPANSION. (확장)이다. 두 개의 불이 서로 관계를 형성해 나가기 시작한다. 이 관계는 확장을 위한 관계이며, 갈등을 유발할 수 있는 관계이다.

키워드 : 계획(갈등), (작은) 확장, (작은) 도전, 선택, 새로운 계획, 기다림, 용기

핵심 키워드	An Expansion Of Plan (계획의 확장)

III. CHALLENGE. (도전)

THREE of WANDS.

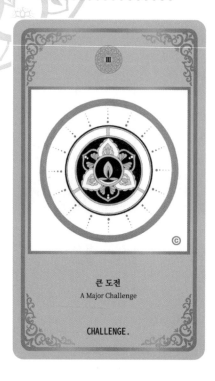

III

큰 도전
A Major Challenge

CHALLENGE.

『만다라 타로카드』 간단 해설&핵심 키워드

유니버셜웨이트 타로카드의 THREE of WANDS.와 연계되는 위 만다라 타로
카드의 제목은 CHALLENGE. (도전)이다. 세 개의 불이 더 큰 영역으로 확장
해 나가기 시작한다. 이 확장은 목표를 달성할 수 있는 발전이며, 강력한 통찰
력에 의한 앞으로 나아감이다.

키워드 : 목표 달성, 성공, (큰) 확장, (큰) 도전, 새로운 (큰) 계획, 강력한 통찰력

핵심 키워드	A Major Challenge (큰 도전)

IV. STABILITY. (안정)   FOUR of WANDS.

안정된 승리
A Stable Victory

STABILITY.

『만다라 타로카드』 간단 해설&핵심 키워드

유니버셜웨이트 타로카드의 「FOUR of WANDS.와 연계되는 위 만다라 타로
카드의 제목은 STABILITY. (안정)이다. 네 개의 불이 안정적으로 균형 잡혀 있
다. 이 균형은 목표를 달성할 수 있는 토대이며, 승리를 이끄는 기반이다.

키워드 : 축하, 결혼, 풍요, 결실, 성공, 승리, 평화, 안정

핵심 키워드	A Stable Victory (안정된 승리)

V. COMPETITION. (경쟁)

FIVE of WANDS.

사소한 경쟁
A Petty Competition

COMPETITION.

『만다라 타로카드』 간단 해설&핵심 키워드

유니버셜웨이트 타로카드의 FIVE of WANDS.와 연계되는 위 만다라 타로카드의 제목은 COMPETITION. (경쟁)이다. 다섯 개의 불이 독자적인 방향으로 나아가고 있다. 이 나아감은 독자적인 욕구이며, 하나의 큰 목표 달성에 대한 걸림돌이다.

키워드 : 논쟁, 갈등, 분열, 투쟁, 욕망, 서로 얽힌, 열띤 토론

핵심 키워드	A Petty Competition (사소한 경쟁)

합심을 통한 승리
Victory Via One Accord

WORK TOGETHER.

『만다라 타로카드』 간단 해설&핵심 키워드

유니버셜웨이트 타로카드의 SIX of WANDS.와 연계되는 위 만다라 타로카드의 제목은 WORK TOGETHER. (합심)이다. 여섯 개의 불이 이상적으로 균형을 이루며 나아가고 있다. 이 나아감은 합심을 의미하며, 이상적인 긍정적 결과와 연결된다.

키워드 : 합심으로 이루어 낸 성공, 승리, 합격, 리더십, 추종, 명예, 의견 통합

핵심 키워드	Victory Via One Accord (합심을 통한 승리)

SEVEN of WANDS.

강한 저항
A Strong Resistance

RESISTANCE.

『만다라 타로카드』 간단 해설&핵심 키워드

유니버셜웨이트 타로카드의 SEVEN of WANDS.와 연계되는 위 만다라 타로
카드의 제목은 RESISTANCE. (저항)이다. 일곱 개의 불이 균형을 깨며 나아가
고 있다. 이 나아감은 이전의 이상적 균형을 혼란으로 변경하는 흐름이며, 기존
의 저항을 유발한다.

키워드 : 방어, 용기, 극복, 힘겨운 성공, 자신감, 저항, 끈기, 열정

핵심 키워드	A Strong Resistance (강한 저항)

VIII. FAST MOVING. (빠른 이동)   EIGHT of WANDS.

빠른 진행
A Fast Progression

FAST MOVING.

『만다라 타로카드』 간단 해설&핵심 키워드

유니버셜웨이트 타로카드의 EIGHT of WANDS.와 연계되는 위 만다라 타로
카드의 제목은 FAST MOVING. (빠른 이동)이다. 여덟 개의 불이 공간을 구조
를 새롭게 채우며 나아가고 있다. 이 나아감은 완성에 이르기 위한 속도감을 의
미하며, 곧 성공적인 결과를 이루게 된다.

키워드 : 이동, 빠른 진행(행동), 좋은 결과, 합격, 성공, 곧 결과에 이름

핵심 키워드	A Fast Progression (빠른 진행)

IX. DIFFICULTY. (힘겨움)   NINE of WANDS.

『만다라 타로카드』 간단 해설&핵심 키워드

유니버셜웨이트 타로카드의 NINE of WANDS.와 연계되는 위 만다라 타로카
드의 제목은 DIFFICULTY. (힘겨움)이다. 아홉 개의 불이 8이라는 재구조된
균형을 깨며 나아가고 있다. 이는 완성에 이르기 위한 최종 단계를 의미하며,
막바지의 어려움 극복을 필요로 한다.

키워드 : 방어, 용기, 두려움, 고난, 힘겨움, 재계획, 집중의 필요성

핵심 키워드	A Difficult Situation (힘겨운 상황)

X. OVERLOAD. (과부하)

TEN of WANDS.

과도한 욕망
Immoderate Desire

OVERLOAD.

『만다라 타로카드』 간단 해설&핵심 키워드

유니버셜웨이트 타로카드의 TEN of WANDS.와 연계되는 위 만다라 타로카드의 제목은 OVERLOAD. (과부하)이다. 열 개의 불이 모든 방향으로 뻗어 나아가고 있다. 이는 더 이상 나아갈 수 없는 완성 단계를 의미하며, 과도한 욕망이 묻어난다.

키워드 : 욕망, 과부하, 성공을 위한 노력, 책임감, 압박감, 역부족

핵심 키워드	Immoderate Desire (과도한 욕망)

P. CURIOSITY. (호기심)   ## PAGE of WANDS.

넘치는 호기심
Overflowing Curiosity

CURIOSITY.

PAGE of WANDS.

『만다라 타로카드』 간단 해설&핵심 키워드

유니버셜웨이트 타로카드의 PAGE of WANDS.와 연계되는 위 만다라 타로카드의 제목은 CURIOSITY. (호기심)이다. 마이너 숫자(Pip) 카드와 다르게 중심에서의 불이 새로운 무엇인가의 열정을 발휘하기 위해 두 갈래로 나누어지고 있다. 강한 동기 유발, 호기심 유발의 이미지이다.

키워드 : 호기심, 열정, 신뢰 있는, 넘치는 자신감, 하나의 목표

핵심 키워드	Overflowing Curiosity (넘치는 호기심)

KN. HASTY. (성급함)　　　　　　　**KNIGHT of WANDS.**

불타오르는 열정
A Blazing Passion

HASTY.

『만다라 타로카드』 간단 해설&핵심 키워드

유니버셜웨이트 타로카드의 KNIGHT of WANDS.와 연계되는 위 만다라 타로카드의 제목은 HASTY. (성급함)이다. CURIOSITY. (호기심) 카드와 다르게 중심에서의 불이 더 열정을 발휘하기 위해 여러 갈래로 나누어지고 있다. 강한 열정의 이미지이다.

키워드 : 도전적인, 열정적인, 성급한, 모험적인, 야심찬

핵심 키워드	A Blazing Passion (불타오르는 열정)

정열적인 욕망
A Passionate Desire

DESIRE.

QUEEN of WANDS.

『만다라 타로카드』 간단 해설&핵심 키워드

유니버셜웨이트 타로카드의 QUEEN of WANDS.와 연계되는 위 만다라 타로
카드의 제목은 DESIRE. (욕망)이다. HASTY. (성급함) 카드와 다르게 중심에
서의 불이 더 열정을 발휘하기 위해 집중적으로 타오르고 있다. 강한 욕망의 이
미지이다.

키워드 : 욕망이 강한, 주도적인, 정열적인, 실용적인, 능력 있는, 유능한, 관대한

핵심 키워드	A Passionate Desire (정열적인 욕망)

『만다라 타로카드』 간단 해설&핵심 키워드

유니버셜웨이트 타로카드의 KING of WANDS.와 연계되는 위 만다라 타로카드의 제목은 INSIGHT. (통찰력)이다. DESIRE. (욕망) 카드와 다르게 중심에서 집중적으로 타오르는 불이 완벽하게 타오르고 있다. 네 방향으로의 방향성도 완벽히 자리 잡았다. 강한 통찰력, 창조를 느낄 수 있는 이미지이다.

키워드 : 강력한 리더십, 지적인, 유능한, 창조적인, 통찰력 있는, 책임감 있는

핵심 키워드	A Powerful Insight (강력한 통찰력)

I. EMOTION. (감정)

감정의 충만
Full Of Emotions

EMOTION.

ACE of CUPS.

ACE ᴏꜰ CUPS.

『만다라 타로카드』간단 해설&핵심 키워드

유니버셜웨이트 타로카드의 ACE of CUPS.와 연계되는 위 만다라 타로카드
의 제목은 EMOTION. (감정)이다. 컵에서 감정이 치솟기 시작했다. 이 감정은
내적 동요이며, 사랑이 싹트는 충만이다.

키워드 : 새로운 시작, 깊은 만족, 감정의 충만, 성공, 사랑이 싹트는, 감성 충만, 행복

핵심 키워드	Full Of Emotions (감정의 충만)

관계의 교류
Exchange Of Relationships

RELATIONSHIP.

『만다라 타로카드』 간단 해설&핵심 키워드

유니버셜웨이트 타로카드의 TWO of CUPS.와 연계되는 위 만다라 타로카드
의 제목은 RELATIONSHIP. (관계)이다. 두 개의 컵이 서로 관계를 형성해 나
가기 시작한다. 이 관계는 감정의 교류를 위한 관계이며, 의사소통을 위한 관계
이다.

키워드 : 감정의 교류, 의사소통, 교감, 사랑, 결합, 화해, 협상, 신뢰, 공감

핵심 키워드	Exchange Of Relationships (관계의 교류)

III. TOAST. (축배)

THREE of CUPS.

만족스러운 결과
A Satisfactory Result

TOAST.

『만다라 타로카드』 간단 해설&핵심 키워드

유니버셜웨이트 타로카드의 THREE of CUPS.와 연계되는 위 만다라 타로카드의 제목은 TOAST. (축배)이다. 세 개의 컵이 더 큰 마음으로 확장해 나가기 시작한다. 이 확장은 목표를 달성할 수 있는 초석이며, 만족스러운 결과로 이끌 수 있는 보이지 않는 결속이다.

키워드 : 축배, 축하, 협상, 화합, 행복, 성공, 문제 해결, 목표 달성

핵심 키워드	A Satisfactory Result (만족스러운 결과)

IV. GET BORED. (권태)

FOUR of CUPS.

『만다라 타로카드』 간단 해설&핵심 키워드

유니버셜웨이트 타로카드의 FOUR of CUPS.와 연계되는 위 만다라 타로카드의 제목은 GET BORED. (권태)이다. 네 개의 컵이 안정적으로 균형 잡혀 있다. 이 안정은 마음의 이동이 없는 정체를 의미하며, 감정의 정체기를 의미한다.

키워드 : 권태기, 정체기, 몰입, 불만족, 무기력, 포기, 낙담, 상실감, 싫증

핵심 키워드	A Recession of Emotion (감정의 침체기)

V. DISAPPOINTMENT. (실망)　　　　　FIVE of CUPS.

실망스러움
A Disappointment

DISAPPOINTMENT.

『만다라 타로카드』 간단 해설&핵심 키워드

유니버셜웨이트 타로카드의 FIVE of CUPS.와 연계되는 위 만다라 타로카드
의 제목은 DISAPPOINTMENT. (실망)이다. 다섯 개의 컵이 자신만의 감정을
쏟아 내고 있다. 이는 서로 다른 방향의 감정으로 부정적인 결과를 초래한다.

키워드 : 집착, 실패, 부분적 손실, 상심, 후회, 외로움, 실망스러운,
불행한 관계, 미련이 남는

핵심 키워드	A Disappointment (실망스러움)

VI. INNOCENCE. (순수)

SIX of CUPS.

순수함
Innocence

INNOCENCE.

『만다라 타로카드』 간단 해설&핵심 키워드

유니버셜웨이트 타로카드의 SIX of CUPS.와 연계되는 위 만다라 타로카드의
제목은 INNOCENCE. (순수)이다. 여섯 개의 컵이 이상적으로 균형을 이루며
감정을 표출하고 있다. 이는 서로 연관된 마음과 연관되며, 순수한 성향을 띤
다.

키워드 : 향수, 동심, 추억, 집착, 과거와 관련된, 순수한, 희망을 건네다, 프러포즈

핵심 키워드	Innocence (순수함)

VII. DAYDREAM. (백일몽)　　　　　SEVEN of CUPS.

허황된 망상
A Hollow Delusion

DAYDREAM.

『만다라 타로카드』 간단 해설&핵심 키워드

유니버셜웨이트 타로카드의 SEVEN of CUPS.와 연계되는 위 만다라 타로카드의 제목은 DAYDREAM. (백일몽)이다. 일곱 개의 컵이 균형을 깨며 감정을 표출하고 있다. 이는 이전의 순수함을 오염시키는 흐름이며, 마음의 불명확함을 의미한다.

키워드 : 뜬구름 잡는, 과대망상, 환영, 선택, 현실성 없는, 망설임, 어찌할 바를 모름

핵심 키워드	A Hollow Delusion (허황된 망상)

VIII. TRANSITION. (전환)   EIGHT of CUPS.

새로운 전환
A New Transition

TRANSITION.

『만다라 타로카드』 간단 해설&핵심 키워드

유니버셜웨이트 타로카드의 EIGHT of CUPS.와 연계되는 위 만다라 타로카드의 제목은 TRANSITION. (전환)이다. 여덟 개의 컵이 공간 구조를 새롭게 채우며 감정을 쏟아붓고 있다. 이는 현재 상황에서는 방향을 바꾸는 것 같이 보이나, 완벽함에 이르기 위한 전환이다.

키워드 : 포기, 후퇴, 은둔, 새로운 출발, 전환, 명퇴, 돌아섬

핵심 키워드	A New Transition (새로운 전환)

감정적 만족
An Emotional Satisfaction

SATISFACTION.

『만다라 타로카드』 간단 해설&핵심 키워드

유니버셜웨이트 타로카드의 NINE of CUPS.와 연계되는 위 만다라 타로카드의 제목은 SATISFACTION. (만족)이다. 아홉 개의 컵이 8이라는 재구조된 균형을 깨며 나아가고 있다. 이는 완성에 이르기 위한 최종 단계를 의미하며, 막바지의 어려움 극복을 필요로 한다.

키워드 : 만족감, 성공, 풍요, 건강, 목표 달성, 행복, 평화로움

핵심 키워드	An Emotional Satisfaction (감정적 만족)

X. HAPPY ENDING. (해피 엔딩)

TEN of CUPS.

가정의 행복
Family Happiness

HAPPY ENDING.

『만다라 타로카드』 간단 해설&핵심 키워드

유니버셜웨이트 타로카드의 TEN of CUPS.와 연계되는 위 만다라 타로카드의 제목은 HAPPY ENDING. (해피 엔딩)이다. 열 개의 컵이 모든 방향에서 감정을 분출하고 있다. 이는 감정의 충만을 의미하며, 행복으로 이어진다.

키워드 : 행복, 성공, 만족, 기쁨, 가정, 결혼, 안정적인, 해피 엔딩

핵심 키워드	Family Happiness (가정의 행복)

P. FONDNESS. (호감)

PAGE of CUPS.

호감이 싹트는
Arousing Fondness

FONDNESS.

『만다라 타로카드』 간단 해설&핵심 키워드

유니버셜웨이트 타로카드의 PAGE of CUPS.와 연계되는 위 만다라 타로카드
의 제목은 FONDNESS. (호감)이다. 마이너 숫자(Pip) 카드와 다르게 중심에
서의 감정이 동요되기 시작하며 물방울이 치솟고 있다. 순수하지만, 강한 동기
유발, 호기심 유발의 이미지이다.

키워드 : 호기심, 감정이 풍부한, 예술적인, 순수한, 예민한

핵심 키워드	Arousing Fondness (호감이 싹트는)

KN. PROPOSAL. (제안)

KNIGHT of CUPS.

로맨틱한 제안
A Romantic Proposal

PROPOSAL.

KNIGHT of CUPS.

『만다라 타로카드』 간단 해설&핵심 키워드

유니버셜웨이트 타로카드의 KNIGHT of CUPS.와 연계되는 위 만다라 타로
카드의 제목은 PROPOSAL. (제안)이다. FONDNESS. (호감) 카드와 다르게
중심에서의 감정이 한쪽에서 크게 파도치기 시작한다. 감정의 동요에서 감정
의 이동을 의미한다.

키워드 : 새로운 시도, 제안, 성공, 기회, 좋은 만남

핵심 키워드	A Romantic Proposal (로맨틱한 제안)

Q. SENTIMENT. (감성)　　　　　　**QUEEN of CUPS.**

충만한 감성
Full Of Sentiment

SENTIMENT.

QUEEN of CUPS.

『만다라 타로카드』 간단 해설&핵심 키워드

유니버셜웨이트 타로카드의 QUEEN of CUPS.와 연계되는 위 만다라 타로카
드의 제목은 SENTIMENT. (감성)이다. PROPOSAL. (제안) 카드와 다르게 중
심에서의 감정이 양쪽 모두에서 크게 파도치기 시작한다. 감정의 이동에서 벗
어난 충만한 감정을 의미한다.

키워드 : 예민한 감수성, 헌신적인, 깊은 감정, 좋은 대인 관계

핵심 키워드	Full Of Sentiment (충만한 감성)

K. GENEROSITY. (관대)

KING of CUPS.

『만다라 타로카드』 간단 해설&핵심 키워드

유니버셜웨이트 타로카드의 TEN of CUPS.와 연계되는 위 만다라 타로카드
의 제목은 GENEROSITY. (관대)이다. SENTIMENT. (감성) 카드와 다르게 중
심에서의 감정이 큰 파도이지만, 안정을 이룬다. 감정의 충만을 초월한 너그러
운 자애를 의미한다.

키워드 : 넓은 마음, 자애로움, 예술적인, 로맨틱한, 관용적인, 사교적인

핵심 키워드	Generosity (너그러운 자애)

강한 의지
A Strong Will

WILL.

『만다라 타로카드』 간단 해설&핵심 키워드

유니버설웨이트 타로카드의 ACE of SWORDS.와 연계되는 위 만다라 타로카드의 제목은 WILL. (의지)이다. 검이 하나로 결합되어 우뚝 세워졌다. 이 결합은 강한 의지이며, 굳건한 신념이다.

키워드 : 명예, 권력, 승리, 강한 정신력, 목적의식, 굳은 의지, 주도권

핵심 키워드	A Strong Will (강한 의지)

사고적 갈등
A Conflict Within Mind

CONFLICT.

『만다라 타로카드』 간단 해설&핵심 키워드

유니버셜웨이트 타로카드의 TWO of SWORDS.와 연계되는 위 만다라 타로
카드의 제목은 CONFLICT. (갈등)이다. 두 개의 검이 서로 관계를 형성해 나가
기 시작한다. 이 관계는 갈등의 관계이며, 대립을 유발할 수 있는 관계이다.

키워드 : 갈등, (불완전한) 균형, 조화, 자기방어, 우유부단, 선입관

핵심 키워드	A Conflict Within Mind (사고적 갈등)

III. WOUND. (상처)　　　THREE of SWORDS.

마음의 상처
An Emotional Wound

WOUND.

『만다라 타로카드』 간단 해설&핵심 키워드

유니버셜웨이트 타로카드의 THREE of SWORDS.와 연계되는 위 만다라 타로카드의 제목은 WOUND. (상처)이다. 세 개의 검이 더 큰 영역으로 확장해 나가기 시작한다. 이 확장은 더 큰 갈등을 유발하며, 마음의 상처로 이어질 수 있다.

키워드 : 상처, 이별, 슬픔, 파탄, 손실, 고통, 배신감

핵심 키워드	An Emotional Wound (마음의 상처)

IV. REST. (휴식)

FOUR of SWORDS.

『만다라 타로카드』 간단 해설&핵심 키워드

유니버설웨이트 타로카드의 FOUR of SWORDS.와 연계되는 위 만다라 타로 카드의 제목은 REST. (휴식)이다. 네 개의 검이 안정적으로 균형 잡혀 있다. 이 균형은 목표를 달성하기 위한 일시적 정체를 의미하며, 여유와 안정의 시기이 다.

키워드 : 휴식, 치유, 전진을 위한 일시적 후퇴, 회복, 여유와 안정, 은둔

핵심 키워드	Ease And Serenity (여유와 안정)

V. DEFEAT. (패배)   FIVE of SWORDS.

경쟁에서의 패배
A Defeat In Competition

DEFEAT.

『만다라 타로카드』 간단 해설&핵심 키워드

유니버셜웨이트 타로카드의 FIVE of SWORDS.와 연계되는 위 만다라 타로
카드의 제목은 DEFEAT. (패배)이다. 다섯 개의 검이 독자적인 방향에서 세워
져 있다. 이는 부정적인 사고, 신념으로 나아가며, 기존 신념에 반하는 결과가
나온다.

키워드 : 패배, 실패, 불명예, 거만, 경쟁, 배신, 이기심, 분열

핵심 키워드	A Defeat In Competition (경쟁에서의 패배)

VI. JOURNEY. (이동)

SIX of SWORDS.

안정을 향한 이동
A Journey Towards Stability

JOURNEY.

『만다라 타로카드』 간단 해설&핵심 키워드

유니버셜웨이트 타로카드의 SIX of SWORDS.와 연계되는 위 만다라 타로카드의 제목은 JOURNEY. (이동)이다. 여섯 개의 검이 이상적으로 균형을 이루고 있다. 이 균형은 이전의 부정적 사고, 신념을 긍정적이고 안정적으로 변화시키는 과정으로 나아간다.

키워드 : 이동, 이유 있는 여행, 해방, 극복해 나가는 긍정적인 변화, 변화의 시기

핵심 키워드	A Journey Towards Stability (안정을 향한 이동)

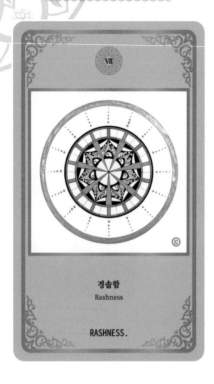

경솔함
Rashness

RASHNESS.

『만다라 타로카드』 간단 해설&핵심 키워드

유니버셜웨이트 타로카드의 SEVEN of SWORDS.와 연계되는 위 만다라 타
로카드의 제목은 RASHNESS. (경솔)이다. 일곱 개의 검이 각기 다른 방향에
서 세워져 있다. 이는 아직 완벽히 정렬되지 않은 상태에서의 사고, 상황을 의
미한다.

키워드 : 경솔함, 자만심, 위험함, 성급함, 부분적 성공, 자신만의 이익

핵심 키워드	Rashness (경솔함)

VIII. DILEMMA. (진퇴양난)　　　EIGHT of SWORDS.

진퇴양난
A Dilemma

DILEMMA.

『만다라 타로카드』 간단 해설&핵심 키워드

유니버셜웨이트 타로카드의 EIGHT of SWORDS.와 연계되는 위 만다라 타로
카드의 제목은 DILEMMA. (진퇴양난)이다. 여덟 개의 검이 공간 구조를 새롭
게 채우며 중심을 향하고 있다. 이는 각기 다른 사고들이 모이는 부정적인 흐름
으로, 진퇴양난의 상황이다.

키워드 : 속수무책, 고통, 위기 상황, 두려움, 고민, 혼란, 부정적 사고에 사로잡힌

핵심 키워드	A Dilemma (진퇴양난)

IX. STRESS. (스트레스)

NINE of SWORDS.

『만다라 타로카드』 간단 해설&핵심 키워드

유니버셜웨이트 타로카드의 NINE of SWORDS.와 연계되는 위 만다라 타로
카드의 제목은 STRESS. (스트레스)이다. 아홉 개의 검이 8이라는 재구조된
균형을 깨며 중심을 향하고 있다. 이는 최종 단계에 이르기 위한 흐름을 의미하
며, 온갖 사고, 신념적 고통을 받는다.

키워드 : 스트레스, 근심, 외로움, 우울증, 상처, 고통, 이별, 절망, 후회

핵심 키워드	Stress (스트레스)

파멸
Ruin

RUIN.

『만다라 타로카드』 간단 해설&핵심 키워드

유니버셜웨이트 타로카드의 TEN of SWORDS.와 연계되는 위 만다라 타로카드의 제목은 RUIN. (파멸)이다. 열 개의 검이 모든 방향에서 뻗어 나와 모이고 있다. 이는 신념 대립의 극대 상황을 의미하며, 부정적인 상황이 현실화되어 나타난다.

키워드 : 파멸, 절망, 불행, 죽음, 부정적 사고의 현실화

핵심 키워드	Ruin (파멸)

P. CARELESSNESS. (부주의)   PAGE of SWORDS.

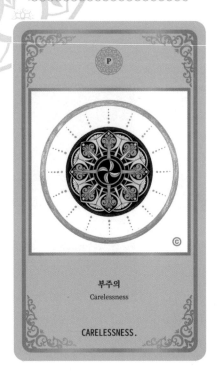

『만다라 타로카드』 간단 해설&핵심 키워드

유니버셜웨이트 타로카드의 PAGE of SWORDS.와 연계되는 위 만다라 타로
카드의 제목은 CARELESSNESS. (부주의)이다. 마이너 숫자(Pip) 카드와 다
르게 중심에서의 공기의 상징인 바람개비가 서서히 움직이고 있다. 강한 동기
유발, 호기심 유발의 이미지이다. 주의가 요구된다.

키워드 : 성급함, 냉정함, 목적의식, 경계, 민첩함, 대범함

핵심 키워드	Carelessness (부주의)

KN. ACTING POWER. (행동력)　　　KNIGHT of SWORDS.

『만다라 타로카드』 간단 해설&핵심 키워드

유니버셜웨이트 타로카드의 KNIGHT of SWORDS.와 연계되는 위 만다라 타로카드의 제목은 ACTING POWER. (행동력)이다. CARELESSNESS. (부주의) 카드와 다르게 중심에서의 공기의 상징인 바람개비가 큰 의지를 발휘한다. 호기심을 넘어선 강한 행동력을 발휘한다. 차분함이 요구된다.

키워드 : 행동력, 의리, 용기, 자신감, 대담한, 분노, 공격적

핵심 키워드	Power To Take Action (행동력)

강한 정신력
Strong Mental Strength

MENTAL STRENGTH.

QUEEN of SWORDS.

『만다라 타로카드』 간단 해설&핵심 키워드

유니버셜웨이트 타로카드의 QUEEN of SWORDS.와 연계되는 위 만다라 타로카드의 제목은 MENTAL STRENGTH. (정신력)이다. ACTING POWER. (행동력) 카드와 다르게 중심에서의 공기의 상징인 나비가 상징화되어 있고, 더 큰 의지를 발휘한다. 강한 행동력을 넘어선 강한 정신력을 의미한다. 즉, 외부적인 방향성이 내면으로의 전환이 이루어진다.

키워드 : 이성적, 공정, 합리적, 완벽주의, 어려운 상황, 강한 정신력

핵심 키워드	Strong Mental Strength (강한 정신력)

K. CHARISMA. (카리스마)　　　　KING of SWORDS.

『만다라 타로카드』 간단 해설&핵심 키워드

유니버셜웨이트 타로카드의 KING of SWORDS.와 연계되는 위 만다라 타로카드의 제목은 CHARISMA. (카리스마)이다. MENTAL STRENGTH. (정신력) 카드와 다르게 중심에서의 공기의 상징인 완성된 바람개비가 상징화되어 있고, 완벽한 의지를 발휘한다. 강한 행동력과 정신력을 겸비한 카리스마를 의미한다.

키워드 : 카리스마, 분석적, 논리적, 공정한, 권위, 전문가

핵심 키워드	Charisma (카리스마)

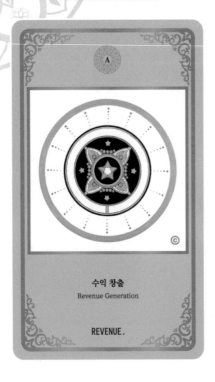

수익 창출
Revenue Generation

REVENUE.

ACE of PENTACLES

『만다라 타로카드』 간단 해설&핵심 키워드

유니버셜웨이트 타로카드의 ACE of PENTACLES.와 연계되는 위 만다라 타로카드의 제목은 REVENUE. (수익)이다. 별이 빛을 발하기 시작했다. 이 빛은 번영의 산물이며, 긍정적인 결과를 강하게 끌어당기는 빛이다.

키워드 : 큰 수익, 금전, 재정, 성공, 사업, 투자, 물질적 번영, 행복

핵심 키워드	Revenue Generation (수익 창출)

II. BINARY CHOICE. (양자택일)　　TWO of PENTACLES.

양자택일
A Binary Choice

BINARY CHOICE.

『만다라 타로카드』 간단 해설&핵심 키워드

유니버셜웨이트 타로카드의 TWO of PENTACLES.와 연계되는 위 만다라 타로카드의 제목은 BINARY CHOICE. (양자택일)이다. 두 개의 별이 서로 관계를 형성해 나가기 시작한다. 이 관계는 실질적 확장을 위한 관계이며, 집중을 요하는 관계이다.

키워드 : 불안정한, 양다리, 순조로운 해결, 양자택일, 집중, 두 가지 일을 동시 진행

핵심 키워드	A Binary Choice (양자택일)

역할 분배
Distribution Of Roles

COOPERATION.

『만다라 타로카드』 간단 해설&핵심 키워드

유니버셜웨이트 타로카드의 THREE of PENTACLES.와 연계되는 위 만다라
타로카드의 제목은 COOPERATION. (협력)이다. 세 개의 별이 더 큰 영역으
로 확장해 나가기 시작한다. 이 확장은 목표를 달성할 수 있는 초석이며, 탁월
한 전문성을 발휘한다.

키워드 : 협력, 동업, 의견 합심, 전문적 기술, 역할 분배, 기부, 투자

핵심 키워드	Distribution Of Roles (역할 분배)

IV. POSSESSION. (소유)   FOUR of PENTACLES.

소유욕
A Possessiveness

POSSESSION.

『만다라 타로카드』 간단 해설&핵심 키워드

유니버셜웨이트 다로카드의 FOUR of PENTACLES.와 연계되는 위 만다라
타로카드의 제목은 POSSESSION. (소유)이다. 네 개의 별이 안정적으로 균형
잡혀 있다. 이 균형은 안정의 기반을 마련하며, 소유를 의미한다.

키워드 : 강한 소유욕, 자기중심적, 집착, 욕심, 인색함, 절약, 저축, 풍요

핵심 키워드	A Possessiveness (소유욕)

V. POOR. (궁핍)　　　　FIVE of PENTACLES.

경제적 어려움
A Financial Hardship

POOR.

『만다라 타로카드』 간단 해설&핵심 키워드

유니버셜웨이트 타로카드의 FIVE of PENTACLES.와 연계되는 위 만다라 타
로카드의 제목은 POOR. (궁핍)이다. 다섯 개의 별이 독자적인 방향으로 나아
가고 있다. 이 나아감은 분산을 의미하며, 경제적인 궁핍과 연결된다.

키워드 : 경제적 어려움, 가난, 기회를 놓침, 실패, 근심, 역경, 삶에 찌든

핵심 키워드	A Financial Hardship (경제적 어려움)

VI. DISTRIBUTION. (분배)　　　SIX of PENTACLES.

균등한 분배
An Equitable Distribution

DISTRIBUTION.

『만다라 타로카드』 간단 해설&핵심 키워드

유니버셜웨이트 타로카드의 SIX of PENTACLES.와 연계되는 위 만다라 타로
카드의 제목은 DISTRIBUTION. (분배)이다. 여섯 개의 별이 이상적으로 균형
을 이루고 있다. 이 균형은 한쪽에 치우치지 않은 공평함을 의미하며, 균등함과
연관된다.

키워드 : 분배, 관용, 나눔, 만족, 기쁨, 공평함

핵심 키워드	An Equitable Distribution (균등한 분배)

『만다라 타로카드』 간단 해설&핵심 키워드

유니버셜웨이트 타로카드의 SEVEN of PENTACLES.와 연계되는 위 만다라 타로카드의 제목은 CONTEMPLATION. (심사숙고)이다. 일곱 개의 별이 균형을 깨며 나아가고 있다. 이 나아감은 이전의 균형, 공평함에 반하는 흐름이며, 새로움으로 나아가기 위한 시도이다.

키워드 : 계획, 수확, 점검, 심사숙고, 욕심

핵심 키워드	A Contemplation (심사숙고)

VIII. DILIGENCE AND HONESTY. (근면 성실)　　EIGHT of PENTACLES.

근면 성실
Diligence And Honesty

DILIGENCE AND HONESTY.

『만다라 타로카드』 간단 해설&핵심 키워드

유니버셜웨이트 타로카드의 EIGHT of PENTACLES.와 연계되는 위 만다라
타로카드의 제목은 DILIGENCE AND HONESTY. (근면 성실)이다. 여덟 개
의 별이 공간 구조를 새롭게 채우며 배치되어 있다. 이는 최종적인 결과를 도출
해내기 위한 막판의 흐름으로, 곧 성공적인 결과를 이루게 된다.

키워드 : 근면 성실, 수련자, 인내, 미완성, 노력, 검소함

핵심 키워드	Diligence And Honesty (근면 성실)

IX. REWARD. (보상)   NINE of PENTACLES.

만족스러운 보상
A Satisfying Reward

REWARD.

『만다라 타로카드』 간단 해설&핵심 키워드

유니버셜웨이트 타로카드의 NINE of PENTACLES.와 연계되는 위 만다라 타로카드의 제목은 REWARD. (보상)이다. 아홉 개의 별이 8이라는 재구조된 균형을 깨며 나아가고 있다. 이는 완성에 이르기 위한 최종 단계를 의미하며, 만족스러운 결과를 얻는다.

키워드 : 풍요, 자유, 성공, 휴식, 보상, 행복, 만족감

핵심 키워드	A Satisfying Reward (만족스러운 보상)

X. PEACE. (화목)

TEN of PENTACLES.

가정의 평화
A Domestic Peace

PEACE.

『만다라 타로카드』 간단 해설&핵심 키워드

유니버셜웨이트 타로키드의 TEN of PENTACLES.와 연계되는 위 만나라 타로카드의 제목은 PEACE. (화목)이다. 열 개의 별이 모든 방향에 자리 잡고 있다. 이는 현실적인 최상의 완성 단계를 의미하며, 실질적 행복과 연계된다.

키워드 : 화목, 안정, 풍요, 성공, 사회적 명성

핵심 키워드	A Domestic Peace (가정의 평화)

목표 설정
Setting Objectives

OBJECTIVES.

『만다라 타로카드』 간단 해설&핵심 키워드

유니버셜웨이트 타로카드의 PAGE of PENTACLES.와 연계되는 위 만다라 타로카드의 제목은 OBJECTIVES. (목표)이다. 마이너 숫자(Pip) 카드와 다르게 중심에서의 별이 새로운 무엇인가의 열정을 발휘하기 위해 성숙 되지 않은 여러 작은 별들과 연결되어 있다. 신중하면서도 강한 목표를 설정한 이미지이다.

키워드 : 강한 목표 의식, 신중함, 집중력, 실용성, 호기심, 물질(경제)적인

핵심 키워드	Setting Objectives (목표 설정)

KN. DISCRETION. (신중함)　　　　KNIGHT of PENTACLES.

실용적 계획
A Practical Plan

DISCRETION.

『만다라 타로카드』 간단 해설&핵심 키워드

유니버셜웨이트 타로카드의 KNIGHT of PENTACLES.와 연계되는 위 만다라 타로카드의 제목은 DISCRETION. (신중함)이다. OBJECTIVES. (목표)와 다르게 중심에서의 작은 별이 서서히 하나로 모이며, 성숙해지고 있다. 목표를 설정을 넘어선 신중함의 이미지이다.

키워드 : 신중함, 책임감 있는, 인내, 근면, 안정, 정체된, 주의 깊은

핵심 키워드	A Practical Plan (실용적 계획)

Q. DEVOTION. (헌신)

QUEEN of PENTACLES.

헌신적 사랑
A Devoted Love

DEVOTION.

『만다라 타로카드』 간단 해설&핵심 키워드

유니버셜웨이트 타로카드의 QUEEN of PENTACLES.와 연계되는 위 만다라
타로카드의 제목은 DEVOTION. (헌신)이다. DISCRETION. (신중함)과 다르
게 중심에서의 작은 별이 하나로 모이며, 완성되고 있다. 사방으로 펼쳐지는 잎
의 이미지는 헌신적 사랑의 이미지이다.

키워드 : 헌신적인, 풍요, 관대한, 행복, 임신, 성공, 넓은 마음

핵심 키워드	A Devoted Love (헌신적 사랑)

K. ECONOMIC POWER. (경제력)　　KING of PENTACLES.

경제적 능력
Economic Prowess

ECONOMIC POWER.

『만다라 타로카드』 간단 해설&핵심 키워드

유니버셜웨이트 타로카드의 KING of PENTACLES.와 연계되는 위 만다라 타
로카드의 제목은 ECONOMIC POWER. (경제력)이다. DEVOTION. (헌신)과
마찬가지로 중심에서의 작은 별이 하나로 모였지만, DEVOTION. (헌신)보다
방향성의 완벽함을 이룬다. 강한 풍요를 느낄 수 있는 이미지이다.

키워드 : 경제적 능력, 물질적 풍요, 현명함, 배짱, 강한 소유욕

핵심 키워드	Economic Prowess (경제적 능력)

이상의 만다라 명상&타로카드의 제목 및 키워드를 독자의 이해를 돕기 위해 정리하면 다음과 같다.

(1) 만다라 메이저 카드 22장

넘버	제목	영문 제목	의미	영어
0	자유	FREEDOM.	새로운 모험	A Novel Adventure
1	창조	CREATIVITY.	창조적 능력	Creative Prowess
2	지혜	WISDOM.	신비로운 지혜	Mystical Wisdom
3	풍요	ABUNDANT.	풍요로운 여유	An Abundant Relaxation
4	권위	POWER.	강인한 힘	Resilient Power
5	조언	ADVISE.	현명한 조언자	A Wise Advisor
6	사랑	LOVE.	사랑과 선택	Love And Choice
7	추진	DRIVING FORCE.	강한 추진력	Powerful Driving Force
8	용기	BRAVERY.	내적인 자신감	Inner Confidence
9	성찰	INTROSPECTION.	내적인 성찰	Introspection
10	순환	CIRCULATION.	운명적인 순환	The Destined Cycle
11	정의	JUSTICE.	합리적 판단	Reasonable Judgment
12	정체	STAGNATION.	상황적 정체	A Situational Stagnation
13	죽음	DEATH.	종말과 시작	The End And A Beginning
14	절제	MODERATION.	적절한 조절	An Adequate Adjustment
15	집착	OBSESSION.	한쪽에 치우침	Biased
16	변화	CHANGE.	갑작스러운 변화	A Sudden Transition
17	희망	HOPE.	희망찬 미래	A Promising Future
18	근심	WORRY.	불안한 상황	An Insecure Situation
19	행복	HAPPINESS.	성취의 에너지	Energy Of Achievement
20	심판	JUDGEMENT.	보상과 판결	Reward and Judgment
21	완성	COMPLETION.	완성과 또 다른 시작	A Completion And Another Beginning

(2) 만다라 마이너 카드 56장

1 완드

넘버	제목	영문 제목	의미	영어
ACE	에너지	ENERGY.	강력한 에너지	A Powerful Energy
2	확장	EXPANSION.	계획의 확장	An Expansion Of Plan
3	도전	CHALLENGE.	큰 도전	A Major Challenge
4	안정	STABILITY.	안정된 승리	A Stable Victory
5	경쟁	COMPETITION.	사소한 경쟁	A Petty Competition
6	합심	WORK TOGETHER.	합심을 통한 승리	Victory Via One Accord
7	저항	RESISTANCE.	강한 저항	A Strong Resistance
8	빠른 이동	FAST MOVING.	빠른 진행	A Fast Progression
9	힘겨움	DIFFICULTY.	힘겨운 상황	A Difficult Situation
10	과부하	OVERLOAD.	과도한 욕망	Immoderate Desire
시종	호기심	CURIOSITY.	넘치는 호기심	Overflowing Curiosity
기사	성급함	HASTY.	불타오르는 열정	A Blazing Passion
여왕	욕망	DESIRE.	정열적인 욕망	A Passionate Desire
왕	통찰력	INSIGHT.	강력한 통찰력	A Powerful Insight

2 컵

넘버	제목	영문 제목	의미	영어
ACE	감정	EMOTION.	감정의 충만	Full Of Emotions
2	관계	RELATIONSHIP.	관계의 교류	Exchange Of Relationships
3	축배	TOAST.	만족스러운 결과	A Satisfactory Result
4	권태	GET BORED.	감정의 침체기	A Recession of Emotion
5	실망	DISAPPOINTMENT.	실망스러움	A Disappointment
6	순수	INNOCENCE.	순수함	Innocence
7	백일몽	DAYDREAM.	허황된 망상	A Hollow Delusion

8	전환	TRANSITION.	새로운 전환	A New Transition
9	만족	SATISFACTION.	감정적 만족	An Emotional Satisfaction
10	해피 엔딩	HAPPY ENDING.	가정의 행복	Family Happiness
시종	호감	FONDNESS.	호감이 싹트는	Arousing Fondness
기사	제안	PROPOSAL.	로맨틱한 제안	A Romantic Proposal
여왕	감성	SENTIMENT.	충만한 감성	Full Of Sentiment
왕	관대	GENEROSITY.	너그러운 자애	Generosity

3 소드

넘버	제목	영문 제목	의미	영어
ACE	의지	WILL.	강한 의지	A Strong Will
2	갈등	CONFLICT.	사고적 갈등	A Conflict Within Mind
3	상처	WOUND.	마음의 상처	An Emotional Wound
4	휴식	REST.	여유와 안정	Ease And Serenity
5	패배	DEFEAT.	경쟁에서의 패배	A Defeat In Competition
6	이동	JOURNEY.	안정을 향한 이동	A Journey Towards Stability
7	경솔	RASHNESS.	경솔함	Rashness
8	진퇴양난	DILEMMA.	진퇴양난	A Dilemma
9	스트레스	STRESS.	스트레스	Stress
10	파멸	RUIN.	파멸	Ruin
시종	부주의	CARELESSNESS.	부주의	Carelessness
기사	행동력	ACTING POWER.	행동력	Power To Take Action
여왕	정신력	MENTAL STRENGTH.	강한 정신력	Strong Mental Strength
왕	카리스마	CHARISMA.	카리스마	Charisma

4 펜타클

넘버	제목	영문 제목	의미	영어
ACE	수익	REVENUE.	수익 창출	Revenue Generation
2	양자택일	BINARY CHOICE.	양자택일	A Binary Choice
3	협력	COOPERATION.	역할 분배	Distribution Of Roles
4	소유	POSSESSION.	소유욕	A Possessiveness
5	궁핍	POOR.	경제적 어려움	A Financial Hardship
6	분배	DISTRIBUTION.	균등한 분배	An Equitable Distribution
7	심사숙고	CONTEMPLATION.	심사숙고	A Contemplation
8	근면 성실	DILIGENCE AND HONESTY.	근면 성실	Diligence And Honesty
9	보상	REWARD.	만족스러운 보상	A Satisfying Reward
10	화목	PEACE.	가정의 평화	A Domestic Peace
시종	목표	OBJECTIVES.	목표 설정	Setting Objectives
기사	신중함	DISCRETION.	실용적 계획	A Practical Plan
여왕	헌신	DEVOTION.	헌신적 사랑	A Devoted Love
왕	경제력	ECONOMIC POWER.	경제적 능력	Economic Prowess

✦ 다. 만다라 타로카드 배열법

앞서 이야기해 온 대로, 타로카드는 22장의 메이저 카드와 56장의 마이너 카드, 총 78장으로 구성된다. 이 중 22장의 메이저 카드는 본인과 관련된 인생의 큰 스토리를 이야기하며, 56장의 마이너 카드는 세세한 스토리나 주변 환경, 상황, 인물과 관련된 부분을 이야기한다.

수년간의 연구, 준비 작업을 거쳐 타로카드와 만다라를 융합하여 78장의 타로카드 시스템을 구축한 세계 최초의 『만다라 명상&타로카드』는 유니버셜웨이트, 마르세이유, 심볼론, 데카메론, 오쇼젠, 컬러타로 등 다양한 종류의 타로카드를 각각 다른 상담 내용, 내담자에 적합하게 전문적으로 사용될 수 있다. 또한, 만다라 명상&타로카드만의 전문 배열법을 특화하여 사용할 수 있다.

진정한 전문가라면 4차 산업 혁명 시대를 사는 현대인에게 적합한, 최대의 성과를 내기 위해서 상담 방향, 상담 목적에 맞는 상담 도구를 적절히 사용할 수 있어야 한다.

먼저, 보편적으로 사용할 수 있는 만다라 명상&타로카드의 일반 배열법을 소개하고, 이후 전문 배열법을 소개하도록 한다.

특히, 만다라 타로카드 상담은 내담자가 스프레드 된 타로카드를 보며, 무의식적 통찰을 불러오는 방법을 유용하게 사용한다면 내담자의 근본적인 문제를 해결할 수 있다는 큰 장점이 있다.

(1) 일반 배열법 적용

일반 배열법은 마르세이유 타로카드, 유니버셜웨이트 타로카드 등을 사용하여 상담을 진행할 수 있는 공통적인 배열법이라고 생각하면 쉽다.

물론, 공통적인 배열법이라고 하더라도 내담자의 질문에 따라 효율적으로 사용할 수 있는 배열법이 존재한다. 여기에서는 원 카드 배열법, 쓰리 카드 배열법의 간단한 설명과 사례를 살펴보도록 한다. 모든 타로카드에 양면성이 있듯이, 모든 배열법은 장단점의 양면성을 가지고 있다.

자세한 내용을 살펴보고 싶은 독자는 대표 저자 최옥환(필명, 최지원) 베스트셀러인 『타로상담의 정석(최지원 외, 하움출판사)』, 『학교타로상담&NLP상담(기본편) (최지원 외, 하움출판사)』, 『타로카드 상담전문가(최지원 외, 해드림출판사)』 등을 참고하면 큰 도움이 될 것이다.

1 원 카드 배열법

원 카드 배열법은 말 그대로, 한 장의 타로카드를 배열하여 상담을 진행하는 방법이다.

이 원 카드 배열법의 장점은 단 한 장의 타로카드로 상담을 진행할 수 있어, 손쉽게 상담을 진행할 수 있다는 것이다. 하지만, 이것은 전문성을 완벽히 확보하지 못한 초보 상담자에게 단점으로 작용할 수 있다. 초보 상담자는 한 장의 여러 가지 의미 중 어느 의미에 맞추어 상담을 진행해야 할지 어려움을 겪을 수 있다.

독자의 이해를 돕기 위해, 아래의 실전 상담 예시는 주변에서 경험한 이야기를 바탕으로, 하나의 상담 질문으로 유니버셜웨이트 타로카드 실전 상담과 만다라 타로카드 실전 상담으로 소개해 본다.

\<질문\>

> 저는 올해 나이 40입니다. 2019년에 오픈한 식당이 잘 운영되다가 코로나19를 겪으며, 폐업하게 되었습니다. 늦은 나이지만, 어렸을 때부터 꿈꿔온 한의대 편입을 하면 어떨까 고민 중입니다. 물론, 편입에 대한 지식은 거의 백지상태, '0'이구요...
> 하지만, 아버지께서 운영하시는 한약방을 한의원으로 업그레이드하여 대를 이어 가면 좋겠다는 기대감이 앞섭니다...

꠵꠵ ●●●

지금 고민하는 한의대 편입은 생각지 않게 내담자에게 큰 결실을 안겨 줄 것입니다. 즉, 현재는 한의대 편입이 불가능할 것이라 생각하지만 큰 흐름에 의해 한의대에 편입하게 될 것입니다. 또한, 이는 내담자의 인생에 있어서 '인생역전'의 행운으로 작용할 수 있습니다. 물론, 지금과 같은 간절함으로 최선을 다할 경우이지요.

●●● ꠶꠶

• 만다라 타로카드 실전 상담 예시 1 •

상담 : 천성필 만다라 전문가

\<질문\>

> 저는 올해 나이 40입니다. 2019년에 오픈한 식당이 잘 운영되다가 코로나19를 겪으며, 폐업하게 되었습니다. 늦은 나이지만, 어렸을 때부터 꿈꿔온 한의대 편입을 하면 어떨까 고민 중입니다. 물론, 편입에 대한 지식은 거의 백지상태, '0'이구요...
>
> 하지만, 아버지께서 운영하시는 한약방을 한의원으로 업그레이드하여 대를 이어 가면 좋겠다는 기대감이 앞섭니다...

❝

지금 고민하는 한의대 편입은 운명적인 순환이며, 뜻하지 않은 행운의 상황입니다.

과거부터 부정적으로 진행되어 오던 내담자의 상황에 긍정적 변화를 이끌 터닝 포인트이기도 합니다. 이 편입이라는 작은 일의 완성을 통해 더 큰 세계로 나아갈 수 있습니다. 큰 호흡을 하며, 자유로운 순환, 흐름을 느껴 보시기 바랍니다. 그러면, 현재 상황을 긍정적으로 인식하게 될 것입니다. 현재의 의지대로 내담자 본인의 최선을 다하며, 본인을 둘러싸고 있는 외부의 흐름에 내 몸을 맡겨 보시기 바랍니다.

❞

• **유니버셜웨이트 타로카드 실전 상담 예시 2** (과거-현재-미래) •

<질문>

> 저는 올해 나이 40입니다. 2019년에 오픈한 식당이 잘 운영되다가 코로나19를 겪으며, 폐업하게 되었습니다. 늦은 나이지만, 어렸을 때부터 꿈꿔온 한의대 편입을 하면 어떨까 고민 중입니다. 물론, 편입에 대한 지식은 거의 백지상태, 'O'이구요...
> 하지만, 아버지께서 운영하시는 한약방을 한의원으로 업그레이드하여 대를 이어 가면 좋겠다는 기대감이 앞섭니다...

❝

잘 운영되던 식당이 갑작스러운 코로나19로 급변의 상황에 봉착했군요.
이는 인간이 어찌할 수 없는 흐름이었기에 내담자의 탓이 아닙니다.
하지만, 현재 한의대 편입에 대한 고민이 내담자 본인에게 있어 인생 전반의 터닝 포인트가 될 것입니다.
지금 고민하는 한의대 편입은 생각지 않게 내담자에게 큰 결실을 안겨 줄 것입니다.
즉, 내담자는 현재 한의대 편입에 대한 지식과 준비가 전혀 없는 상황이라 편입이 불가능할 것이라 생각하지만 코로나19가 발생되었던 것과 마찬가지로 뜻하지 않은 큰 흐름에 의해 한의대에 편입하게 될 것입니다. 또한, 이는 내담자의 인생에 있어서 '인생 역전'의 행운으로 작용할 것입니다. 물론, 지금과 같은 간절함으로 최선을 다할 경우이지요.

❞

• 만다라 타로카드 실전 상담 예시 2 (과거-현재-미래) •
상담 : 서경은 협회장, 만다라 전문가

<질문>

> 저는 올해 나이 40입니다. 2019년에 오픈한 식당이 잘 운영되다가 코로나 19를 겪으며, 폐업하게 되었습니다. 늦은 나이지만, 어렸을 때부터 꿈꿔 온 한의대 편입을 하면 어떨까 고민 중입니다. 물론, 편입에 대한 지식은 거의 백지상태, '0'이구요...
>
> 하지만, 아버지께서 운영하시는 한약방을 한의원으로 업그레이드하여 대를 이어 가면 좋겠다는 기대감이 앞섭니다...

코로나19라는 생각지 못한 갑작스러운 변화에 내담자는 중대한 위기 상황을 맞이했군요.

식당 오픈을 통해 만들어진 안정적 상황의 몰락 등 여러 부정적인 상황을 대면하셨겠습니다.

이런 과거의 상황과 달리, 지금 고민하는 한의대 편입은 운명적인 순환이며, 뜻하지 않은 행운의 상황입니다. 과거부터 부정적으로 진행되어 오던 내담자의 상황에 긍정적 변화를 이끌 터닝 포인트이기도 합니다. 이 편입이라는 작은 일의 완성을 통해 더 큰 세계로 나아갈 수 있습니다. 큰 호흡을 하며, 자유로운 순환, 흐름을 느껴 보시기 바랍니다. 그러면, 현재 상황을 긍정적으로 인식하게 될 것입니다. 현재의 의지대로 내담자 본인의 최선을 다하며, 외부의 흐름에 내 몸을 맡겨 보시기 바랍니다.

곧 희망찬 미래가 내담자 앞에 펼쳐질 것입니다. 내담자가 꿈꾸는 희망찬 미래를 마음껏 그려 보시기 바랍니다. 마음을 활짝 열고 아름다운 세상으로 나아가시면 곧 그 꿈이 현실로 다가올 것입니다.

(2) 만다라 명상&타로카드 전문 배열법

만다라 명상&타로카드의 전문 배열법을 본 『만다라 명상&타로카드』에서 최초로 공개한다.

일반 배열법과 다르게 『만다라 명상&타로카드』의 전문 배열법을 다른 타로카드에 접목하여 사용할 수 있다. 하지만, 『만다라 명상&타로카드』의 전문성을 생각한다면 『만다라 명상&타로카드』를 사용하여 진행하는 것이 가장 효율적이다.

만다라 타로카드 전문 배열법은 만다라의 정의와 타로카드의 오컬트적인 신비주의에 기초한다. 이 광범위한 내용을 책에 담기에는 한계가 있어 이 중, 만다라의 중심과 수비학의 의미만 간단히 설명하고 사례를 들어 안내하도록 한다.

만다라(MANDALA)라는 용어는 고대 인도어인 산스크리트어로 바퀴, 원을 의미하며, 중심 또는 본질을 의미하는 '만다(MANDA)'와 소유, 성취를 의미하는 '라(LA)'로 이루어져 있다.

즉, 만다라는 하나의 원의 형태를 띠며, 중심을 향한 성취, 본질의 소유 등으로 해석될 수 있다.

만다라는 다음과 같은 몇 가지 큰 특징을 가지고 있다.

① 근원이 되는 중심이 있다.
② 공간과 영역으로 확장될 수 있다.
③ 전체의 조화로움과 균형을 이룬다.

이런 만다라에서 특히 강조되는 것이 바로 중심이다.

만다라를 이용한 여러 문제 해결에서도 이 중심을 찾아야 하기에 '중심'이라는 용어는 만다라 코칭, 상담 등에 핵심이 되는 용어이다.

이 부분은 이미 출판되어 독자들의 인기를 누리고 있는 『만다라 코칭&실제(최옥환 외, 메이킹북스)』를 참고하기 바란다.

이렇게 만다라에서 중심이 차지하는 중요성은 절대적이기에 만다라 타로카드 전문 배열법에 있어서도 중심은 가장 중요한 1번에 위치한다.

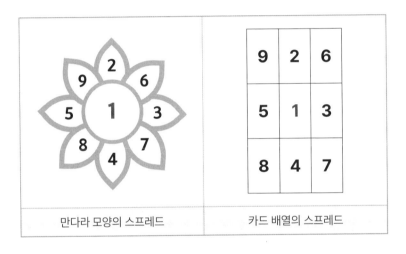

만다라 모양의 스프레드	카드 배열의 스프레드

오컬트의 의미를 포함한 수비학의 의미에 대해 간단히 살펴본다.

원 카드 배열법, 쓰리 카드 배열법, 매직 세븐 배열법, 컵 오브 릴레이션십 배열법...

위 배열법들은 전 세계적으로 유명한 배열법이다.

이들 배열법의 공통된 특징이 있다.

바로, 배열 타로카드의 개수가 홀수라는 점이다.

전 세계적으로 유명한 스프레드인 켈틱크로스의 구성 장수를 10장으로 잘못 알고 있는 사람이 많다. 심지어 타로전문가라는 많은 사람이...

아서 에드워드 웨이트가 켈틱크로스 스프레드를 『타로 그림의 열쇠』에 처음 소개했을 당시에는 10장이 아닌 11장의 홀수로 만들었다.

대표 저자의 타로카드상담전문가(최지원 외, 해드림출판사)를 참고하기 바란다.

이렇듯, 오컬트적인 스프레드는 한쪽에 치우침을 배제하기 위한 목적 등으로 홀수 장의 타로카드 사용을 지향한다.

여기에 신이 인간에게 부여한 최고의 수는 한 자리 숫자의 최댓값인 9이다.

한 자리 숫자를 인간이 여러 목적으로 욕심을 내고 변형하여 사용하고 있는 것이다.

바로 한 자리 숫자의 최댓값인 9, 이 9는 신이 인간에게 부여한 인생의 최종적인 수행 과정이 아닐까 싶다. 유니버셜웨이트 타로카드 9번 HERMIT(은둔자)처럼 말이다.

만다라 타로카드 전문 배열법에서는 이 점을 중요시하여 9장의 카드로 배열할 수 있도록 구성하였다. 2~9의 배열 순서 등 세부적인 부분은 지면의 한계상 전문 강의에서 소개하도록 한다.

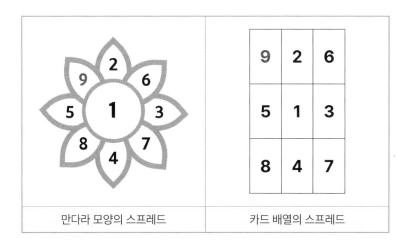

만다라 모양의 스프레드	카드 배열의 스프레드

　만다라 타로카드 전문 배열법은 전문 상담자에 의해 응용 가능(순서, 역할 등)하고, 내담자의 문제 상황에 맞춘 스프레드로 진행할 수 있다는 장점이 있다.

　능숙한 만다라 타로상담 전문가(트레이너)라면 만다라 타로카드 전문 배열법을 내담자의 상황에 맞게 자유롭게 사용할 수 있음은 물론, 주 카드와 보조 카드의 병행 사용으로 전문성을 높일 수 있을 것이다.

　그럼, 만다라 타로카드 전문 배열법의 사례를 살펴보도록 하자.

내담자 분석&만다라 타로 전문 상담 : 최옥환 마스터 트레이너

질문

20여 년간 교직 생활 중이며, 이제 여러 가지 어려움으로 명퇴를 계획 중입니다.

그런데, 교직 생활을 할 때 보다 더 많은, 아니 비교할 수 없을 정도로 많은 여러 가지 목표가 구상됩니다. 교직 생활로 피로가 많이 누적되어, 좀 여유를 부리고 싶은 생각도 있지만, 제2의 인생을 맞이한다는 생각에 오히려 들떠 있습니다.

이런 지금 상황도 이해하고 싶고, 앞으로의 방향도 명확히 파악하고 싶습니다.

내담자 정보

생년월일	1974. 3. 10. (양)
성격 카드	7번. 전차
영혼 카드	7번. 전차
올해의 카드(2023년)	11번. 정의
내년의 카드(2024년)	12번. 매달린 사람
후년의 카드(2025년)	13번. 죽음
MBTI 성격 유형	ISTJ
퍼스널 컬러	보라색
만다라 선호 표상 체계	D (내부 언어형)

내담자 정보 간단 분석	내담자의 성격 카드와 영혼 카드가 7번 전차 카드이므로, 내담자는 적극적인 추진력을 발휘하며 생활하는 삶이 일상화되어 있을 것이다. 특히, 인생의 중반을 넘어선 지금은 주변 사람들과의 관계, 환경적 영향을 많이 고려하고 있을 시기이다. 올해 2023년의 카드가 11번, 정의 카드임을 감안한다면 명예퇴직 및 앞으로의 제2의 인생을 위한 논리적인 사고의 시간을 올해 많이 갖게 될 것이다. 내년 2024년의 카드가 12번, 매달린 사람임을 감안한다면, 내년 2024년 특별한 변화가 눈에 보이지는 않겠으나, 많은 사고적 충만이 이루어지는 시기로 아마도 이 시기에 중대한 결단을 하게 될 것이다. 　또한, 후년 2025년의 카드가 13번, 죽음 카드임을 감안한다면, 바로 2025년 명예퇴직과 그동안 구상했던 많은 계획과 새로운 시작이 이루어진다고 분석할 수 있다. MBTI 성격유형이 ISTJ이므로, 내담자는 실용적이고 효율적인 삶을 추구하며, 책임감 있으며, 신뢰를 중시하는 사람이라고 할 수 있다. 최근 실시한 퍼스널 컬러가 보라색이라는 것은 에너지의 방향이 내부적인, 특히 내부의 중심을 향하는 초월적인 성향이 두드러짐을 알 수 있으며, 만다라 선호 표상 체계 검사에서 D(내부 언어형)가 도출되었다는 것을 통해 여러 가지 심사숙고의 과정을 중시하고, 신중한 사고의 과정이 생활화되어 있음을 분석할 수 있다.

　물론, 위의 분석을 통해, 내담자에 적합한 상담 방법을 접목해야 할 것이다. 예를 든다면, 만다라 명상 도안이나 분석 심리 등...

　하지만, 만다라 타로카드에 대한 실전 상담이니만큼 분석 관련 부분은 추후 기회가 주어진다면 『만다라 분석심리상담전문가』책, 강의에서 소개하도록 하고, 여기에서는 만다라 타로카드 전문 배열법을 통해 타로상담을 안내하도록 한다.

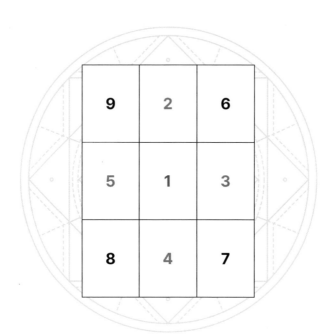

① 문제의 근원(핵심)
② 확장을 위한 요소 1
③ 확장을 위한 요소 2
④ 확장을 위한 요소 3
⑤ 확장을 위한 요소 4
⑥ 조화와 균형을 위한 요소 1
⑦ 조화와 균형을 위한 요소 2
⑧ 조화와 균형을 위한 요소 3
⑨ 조화와 균형을 위한 요소 4

아래의 ①~⑨는 긍정적인 상황, 부정적인 상황 모두 포함한다.

①은 문제의 근원(핵심)으로 상담의 근본적인 핵심을 의미한다. 문제 상황과 직접적인 상황이지만, 추상적이고 초월적인 상황일 수 있다.

②, ③, ④, ⑤, ⑥, ⑦, ⑧, ⑨는 문제 상황을 해결하기 위한 방법, 더 나은 미래를 위한 방법 등을 의미한다.

이 중, ②, ③, ④, ⑤는 확장을 위한 요소로 이는 ① 문제의 근원(핵심)을 직접적으로 해결할 수 있는 방법이다.

또한, ⑥, ⑦, ⑧, ⑨는 조화와 균형을 위한 요소로 이는 ① 문제의 근원(핵심)을 간접적으로 해결할 수 있는 방법이다.

✳ 만다라 타로 상담 (약축) ✳

　현재 상황의 근원은 바로 내적인 성찰이 이루어지고 있다는 것입니다.
이는 인생의 후반기에, 인생 경험을 바탕으로 자신의 마음을 반성하
고 살피는 상황임을 의미합니다.

　이 상황을 슬기롭게 잘 해결하고 발전적으로 나아가기 위해서는 내
적인 자신감, 강력한 통찰력, 지혜로움, 심사숙고의 과정이 직접적으
로 필요합니다.

　내담자는 현재 상황에서 가장 필요한 것이 무엇이라고 생각되시나요?

　한번 편안히 호흡을 하시며, 내 안의 중심에 집중을 해 보시면 좋겠
습니다.

　…

　네, 저는 내적인 자신감이 가장 필요한 것 같습니다. 물론, 지혜로움
도 필요하겠구요.

　그렇군요. 내담자에게 현재 상황에서 직접적으로 필요한 것은 내적
인 자신감과 지혜로움이군요.

　그렇다면 이것들을 위해 부수적으로 여유와 안정, 충만한 감성, 순
수함, 그리고 적절한 조절이 필요합니다.

　내담자는 현재 상황에서 부수적으로 필요한 것이 무엇이라고 생각
되시나요?

　마찬가지로 한번 편안히 호흡을 하시며, 내 안의 중심에 집중을 해
보시면 좋겠습니다.

　…

　네, 저는 여유와 안정, 그리고 적절한 조절이 부수적으로 필요한 것
같습니다.

　그렇군요. 내담자에게 현재 상황에서 부수적으로 필요한 것은 여유
와 안정, 그리고 적절한 조절이군요.

　자! 그럼, 이제 내적인 자신감과 지혜로움을 그려 보시고요. 여유와
안정, 그리고 적절한 조절의 감정을 더해 보시기 바랍니다.

문제의 상황을 다시 한번 생각해 보겠습니다.

　지금의 상황이 상담 전의 상황과 차이점이 있나요?

네, 무엇인지 모르겠지만, 상담 전 상황에서 느껴졌던 답답함, 막막함이 없어졌습니다.

네, 그럼, 지금의 느낌은 어떤가요?

네, 자신감, 성취감... 그리고, 능력이 느껴집니다.

네, 문제 상황인 내적인 성찰의 상황을 아주 지혜롭게, 자신감 있게 긍정의 상황으로 전환하셨군요.

우리의 삶은 선택의 연속이며, 발전의 연속입니다.

무엇인가 문제 상황이 발생했을 때는 그 문제의 근원이 무엇인지를 제대로 파악하여, 그 문제를 해결하여 밝은 미래로 나아갈 수 있도록 확장과 조화&균형의 요소를 살펴볼 필요가 있습니다.

TIP 최옥환 만다라 그랜드 마스터의 전문가가 되기 위한 스킬 노하우

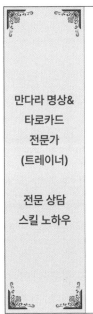

만다라 명상& 타로카드 전문가 (트레이너) 전문 상담 스킬 노하우	1. 전체 배열 카드 중 메이저 카드의 개수, 의미 부여 2. ① 문제의 근원(핵심)과 오컬트, 생명의 나무와의 연계성 3. ②, ③, ④, ⑤, ⑥, ⑦, ⑧, ⑨ 전체 분석과 ②, ③, ④, ⑤와 ⑥, ⑦, ⑧, ⑨ 구분 분석 스킬 4. 배열된 카드의 수비학의 의미 해석, 상담 연결 (각각의 수비학의 의미+전체 수비학의 의미+ 구분 수비학의 의미) 5. 내담자와 커뮤니케이션을 통한 개인별 분석, 문제 해결 6. 내담자 분석을 통한 정보와 만다라 명상&타로카드 상담과의 연계 7. 상담 전, 상담 중, 상담 후의 내담자 분석 8. 배열된 카드의 전반 흐름, 패턴 의미 파악, 내담자의 상황과 연결 9. 반복된 패턴, 상징의 의미 분석, 적용

3.

만다라 명상&타로카드 상담전문가 실전 상담

✦ 가. 만다라 명상&타로카드 상담전문가 실전 상담

> **만다라 명상&타로카드 실전 상담 사례 (1)**
> **<학교 현장 학생 상담>**

"왠지 기분이 좋아져요"

본 만다라 상담 사례는 성영미(교원) 만다라 전문가께서 초등학교 5학년 학생을 대상으로 2회기 상담을 실시한 사례입니다.

상담 일자: 2023년 7월 23일~24일

상담자: 성영미(교원)

내담자: 훈이(남, 가명)

초등학교 5학년인 훈이는 수학을 좋아하고 자립심이 강한 아이다. 수학을 좋아하는 아이들이 그렇듯 논리 정연하게 자기주장을 표현하면서도 친구 관계에서는 섬세하게 상대를 살피는 특성이 있다. 훈이는 성숙한 편으로 자신이 하고 싶은 일을 할 수 있을지 궁금하다며 상담을 요청하였다. 2회기로 진행된 상담을 위해 최근에 출판된 『만다라 코칭&실제(최옥환외, 메이킹북스)』에 나온 만다라 단순화 도안과 만다라 타로카드를 활용하였다. 훈이도 만다라 매체를 활용한 상담에 호기심을 갖고 흔쾌히 하고 싶다고 하였다.

1회기에는 만다라 타로카드를 활용하여 자기 탐색과 자기 발견을 위한 명상을 하고 만다라 컬러링을 하면서 자신을 이해하고 수용해 가는 과정으로 진행하였다.

만다라 타로카드 22장을 보여 주며 마음에 드는 카드를 골라 보라고 하였다. 훈이는 '19번 성취의 에너지 카드'를 골랐다. 키워드가 힘 있어 보여서 좋다고 한다. 훈이에게 '성취의 에너지'는 큰 의미가 있어 보였다.

‘성취의 에너지’를 명상을 통해 느껴 보는 시간을 갖고 컬러링을 진행하였다. 만다라 컬러링은 22장의 만다라 카드와 도안을 바라보고 가장 마음에 드는 것을 선택하는 것으로 시작하였다. 훈이는 처음에는 창조 만다라에 관심을 두다가 행복, 사랑, 희망 만다라 중에서 고민하였다. 마지막에 완성 만다라를 선택하였다. 훈이의 관심사가 창조에서 완성으로 변하는 과정을 지켜보며 훈이의 마음의 흐름을 이해할 수 있었다. 다재다능한 훈이와 결과도 중시하는 훈이. 한 사람이 가진 다양한 특성을 만다라를 선택하는 모습에서 그대로 느낄 수 있었다. 마지막으로 선택한 ‘완성 만다라’를 바라보고 느껴지는 마음을 컬러링을 통해 표현하도록 안내하였다.

훈이는 컬러링을 하면서 든 생각과 감정을 편안하게 표현하였다.

훈이: 나는 원래 3~4가지 색으로 주로 하는데 오늘은 다른 색을 추가했어요.

나: 그랬구나. 오늘은 어떤 마음인데 추가해 본 거야?

훈이: 저도 몰라요. 그냥 해 봤어요. 오늘은 그냥 다른 걸 하고 싶었어요.

나: 그랬구나. 어떤 색을 새롭게 해 봤어?

훈이: 전에는 빨간색을 주로 사용했는데, 오늘은 파란색 종류로도 색을 칠해 봤어요.

나: 그랬구나, 칠하고 나니 어때?

훈이: 뭔가 다채로운 것 같아서 마음에 들어요.

훈이가 주로 사용하는 빨간색 계열은 대표적인 양의 에너지를 나타낸다. 평소 주도적인 성향인 훈이는 양의 에너지를 주로 사용했다면 이

번에는 파란색 계열을 사용함으로써 양과 음의 조화로움을 느꼈을 것이다. 내면의 무의식적 흐름은 이해하고 표현하지 못하더라도 감각적으로 느낄 수 있는 것은 인간의 본능이기 때문이다.

나: 가운데 검은색은 어떤 의미야?

훈이: 인간이라면 누구나 가진 본성의 악함을 표현했어요.

나: 그렇구나, 인간이 가진 본능 같은 건가? 더 설명해 줄 수 있어?

훈이: 누구나 이기적인 거 같은 거 있잖아요.

나: 그렇구나. 훈이가 검은색을 칠한 부분을 '인간이 가진 본성의 악함'으로 표현한 거구나. 누구에게나 있지만, 누구나 표현하지는 못하지. 본능이지만 그것이 악하다고 느껴질 때는 감추고 싶기 마련이잖아. 그것을 비유해서 그림자라고도 말하거든. 자신의 빛과 그림자를 그대로 중심에 표현한다는 것은 용기 있는 거거든. 훈이 참 멋지다.

훈이는 쑥스러운 듯 웃었다. 훈이가 자신의 마음을 있는 그대로 표현하고 수용해 가는 모습으로 보여 대견했다. 감추고 덮으려는 것이 아닌 누구에게나 있는 우리의 그림자를 드러내고 수용해 가는 것은 온전한 자기 이해의 과정이라고 생각하기 때문이다.

훈이는 만다라 컬러링을 통해서 자신도 모르게 '인간의 본능'이라는 말을 사용했지만, 자신에게도 있는 모습을 수용하고 바라보고 있었다. 그런 솔직한 표현들이 만다라를 통해 표현되어서 그런지 만다라를 마치고 "왠지 기분이 좋아요."라고 하였다. 훈이의 웃음이 마음 깊은 곳에서 올라오는 안정감으로 느껴져 내 마음을 환하게 만들어 주었다. 만다라는 자기실현을 위해 떠나는 여행이라는 말이 다시금 실감 났다. 무의식으로 안내해 주는 좋고 쉬운 도구이다.

2회기에는 만다라 명상과 컬러링을 통해 성장과 확장으로 연결될 수 있도록 진행하였다. 훈이가 1차시에 선택한 만다라 도안과 만다라 타로카드는 성취와 완성의 의미가 있었다. 대립 탐색 만다라는 통합을 위해 에너지를 보완해 주는 의미가 있다. 대립 탐색 만다라는 이중성을 통해 자기를 아우르는 전체성을 갖게 될 수 있다(수잔 핀처, 2011). 훈이가 성취와 완성을 지향하는 생각과 행동에 치우치지 않도록 대립 탐색 만다라로 자유, 지혜, 순환의 만다라를 제안해 주었다.

석 장의 만다라 명상카드를 하나씩 보면서 감상하도록 하였다. 카드를 바라보며 느껴지는 것에 집중하도록 안내하고 그중에서 마음에 드는 카드를 한 가지 선택하도록 하였다. 훈이는 자유를 선택하였다. 내심 놀랍고 반가웠다. 자신에게 보완될 수 있는 의미를 잘 찾는다는 생

각이 들었다. 칼 융의 말처럼 나는 아이들에게 안내자로서 충분하다는 것을 다시 한번 느꼈다.

아이들은 자신이 무엇을 잘하는지, 무엇이 부족한지 잘 알고 있다. 계획적이고 체계적인 성향의 훈이에게 '0번 자유 만다라'를 컬러링하는 과정은 그 자체로 조화와 균형을 이루는 순간이다. 훈이가 색칠한 만다라를 보면서 말 그대로 조화와 균형이 느껴졌다. 1회기에는 강렬한 색이었다면 2회기에는 조화롭게 칠해져 있고 색의 채도도 낮아진 것을 볼 수 있었다.

훈이가 컬러링을 마치고 말하였다.

"색칠할 때 흰색은 잘 안 하게 되잖아요. 없는 것 같으니까. 저는 일부러 했어요. 모든 색을 칠한다고 해서 다 그 색대로 되는 건 아니잖아요. 뭔가 원한다고 다 그대로 되는 게 아닌 것처럼요. 그래서 흰색을 칠하면서 공간을 두는 것 같은 거예요. 마음의 공간 같은 거요."

아이들이 자신의 생각과 감정을 말로 표현하는 것이 쉬운 일이 아니듯 어른도 마찬가지이다. 만다라 명상은 말로 하기 어려운 마음을 차분하게 볼 수 있게 해 준다. 자신이 선택하고 칠하고 완성해 가는 과정에서 자신을 만나고 치유하고 성장해 간다. 만다라 컬러링은 적극적인 자기 치유의 활동이다. 그래서 자존감과 주체성을 키울 수 있는 좋은 도구이다.

의식과 무의식의 통합이라는 어려운 말이 만다라에서는 그저 바라봄과 그저 칠하는 활동으로 구현될 수 있다. 만다라는 사용하기 쉬운 매체라서 터부시되었던 것이 사실이다. 그저 칠하는 것이 무엇을 할 수 있을까 의구심을 갖기도 한다. 그것은 건강을 위해 그저 걷는 것의 효과를 생각해 보면 될 것이다. 가장 중요한 것은 가장 쉽기 마련이다.

"내 마음의 고요함과 만나는 시간"

> 본 사례는 조혜진(교원) 님께서 학생을 의뢰받아 실시한 타로 상담 사례입니다.

상담 일자: 2023년 7월 8일
상담자: 조혜진(교원)
내담자: 이선영(여, 가명), 중학교 3학년

학교 내에서 교사와 학생 모두 감정적 소진 상태라고 봐도 무방합니다. 학생의 행복한 학교생활에 가장 큰 방해가 되는 것이 바로 인간관계에 관련된 문제입니다. 타인과 잘 지내기 위해서는 사회성과 인성이 기본 대전제가 되어야 합니다. 하지만, 다자녀 학생들의 수는 줄어들고 있고 부모님들은 맞벌이 중인 분들이 더욱 늘어나 집에서 사회성과 인성을 기르는 시간과 경험들이 절대적으로 줄어들고 있습니다. 학생들의 사회성과 인성이 떨어지다 보니 학교에 부적응하는 학생들은 늘어나고 감정 폭발 상태로 학교 내의 여러 인간관계 사이의 갈등이 심화되고 있습니다. 이러한 상황에서 학교 내에서 학생들의 인성을 길러주고 사회적 상황에서 보편적으로 행동할 수 있도록 돕는 일은 교사와 학생의 안전하고 행복한 학교생활을 위해 필수적입니다.

교육은 지식이 많은 사람을 양성하는 측면도 있겠지만 무엇보다도 사람다운 사람을 만드는 데 교육의 목표가 있다고 생각합니다. 사람다운 사람이란 개인과 공동체를 소중히 여기고 타인을 배려하며 사회 안에서 서로에게 도움이 되는 사람일 것입니다. 타인과 공존하고 배려하며 살기 위해서는 우선 학생들이 본인을 자랑스럽게 여기고 행복해야 합니다. 하지만 요즘 학생들은 스스로를 비하하며 불행 속에서 살아가는 경우가 많습니다. 본인에 대한 근본적이고 감정적 이해가 선행되지 않으면 타인에 대한 책임이나 배려를 하기 어렵습니다. 자신에 대해 긍정적으로 생각하기 위해서는 우선 자신의 내면을 들여다볼 수 있어야 합니다. 자신의 내면과 만날 수 있는 좋은 도구로서 만다라를 사용할 수 있습니다. 분석 심리학자 융은 "만다라는 한 사람의 전체적인 인성을 나타낸다."라고 설명하였습니다. 만다라는 그것을 그리는 당시 그 사람의 정신을 반영하기 때문에 만다라를 그리는 과정에서 나타난 상징과 패턴, 색을 통해 그린 사람의 심리적 의미를 발견할 수 있습니다.

만다라를 그리는 동안에는 일상의 근심과 걱정을 잊어버리고 몰입하게 되며 자신의 내면을 돌아보는 시간을 가질 수 있게 됩니다. 만다라를 보며 명상에 잠기거나 만다라 문양에 색을 칠하거나 자유롭게 만다라를 그리는 동안에는 고요를 맛볼 수 있습니다. 만다라 그리기나 만다라 컬러링 등의 시간을 가지는 고요의 경험은 자신과 합일되는 순간입니다.

제 수업 시간에 엎드려 있고 의욕이 없는 여학생이 있었습니다. 제가 타로카드를 활용해 상담을 한다는 것을 안 학생이 쉬는 시간, 저에게 먼저 찾아와 타로카드 상담을 요청하였습니다. 학생의 고민은 연애 문제였습니다. 저는 속으로 가까워질 수 있는 절호의 기회라는 생각이 들어, 얼른 타로카드를 꺼내어 상담을 시작했습니다. 학생은 그 어느 것에도 관심이 없는 상태인데, 요즘 유일하게 관심이 가는 남자아이가 있다고 했습니다. 그 남자아이와 잘 될 수 있을지 한 장의 카드를 뽑아 보기로 했습니다. 그런데 소드 4번 카드가 나왔습니다.

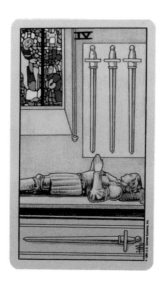

"연애에 관심이 있다고 했는데, 오히려 넌 지금 휴식이 필요한 시기라고 카드가 이야기하네?"

"선생님, 정말요? 너무 신기해요. 사실 저 요즘 너무 지쳐요."

"그래? 무슨 일이 있어?"

"학교에서도 집에서도 잠만 자고 싶어요. 아무것도 하고 싶지 않아요."

"그렇구나, 요즘 수업 시간에도 힘이 없어 보이더라. 선생님도 그런 적이 많아. 그런데 선생님은 요즘 집에서 이 일을 하면서 힐링을 받고 있는데, 선생님만의 힐링법을 알려 줄까?"

"힐링법이요? 뭐예요? 그것을 하면 좀 힘이 나요?"

저와 개인적인 이야기를 나누어서 그런지 학생은 저에게 마음의 문을 열고 자신의 고민을 이야기해 주었습니다. 저는 그런 학생에게 만다라 컬러링을 소개해 주었습니다.

"선생님은 요즘 집에서 매일 만다라를 한 장씩 그리고 있어. 만다라를 그리는 동안에 아무 생각도 들지 않고 평화로운 기분이 들어. 너도 한번 해 볼래?"

"만다라요? 어려운 거 아니죠?"

"그럼, 넌 처음이니까 그려져 있는 만다라에 색칠을 해 보는 게 어떨까? 네가 색칠한 것을 가지고도 네 심리 상태를 상담해 줄 수 있어. 여기 여러 가지 문양 중에 마음에 드는 것을 골라 봐."

"음... 그럼 저 이거 색칠해 볼래요!"

"오! 이 그림을 골랐구나. 색을 다 칠하고 제목도 정해 볼까?"

"알겠어요."

"그럼 선생님이 색연필과 사인펜을 빌려줄 테니까 마음에 드는 색을 골라서 색칠해 봐."

"제가 점심시간에 해 볼게요."

학생은 점심시간 동안 색연필과 사인펜을 빌려 가서는 금방 색을 칠해서 돌아왔습니다.

"선생님, 이렇게 칠해 봤어요. 이걸로 상담이 가능하다고요?"

<학생 작품>

"그럼! 그리는 동안 어떤 기분이 들었어?"

"그러고 보니, 요즘 들어 무엇인가에 이렇게 집중한 적은 없었던 것 같아요. 사실 아무 생각 없이 그렸어요."

"정말 좋은 징조네. 무엇인가에 집중했다는 것 자체가 너에게 큰 의미가 있는 경험이야. 요즘에 집중하기가 힘들었지?"

"맞아요. 집에서 항상 휴대폰만 하는데 사실, 그만하고 싶어도 그만할 수가 없어요. 요즘 제가 휴대폰 중독이 아닌가란 생각도 들어요. 밤에 휴대폰을 하느라 새벽 3시쯤 자거든요. 그래서 학교에서도 너무 졸려요."

"그랬구나. 그래서 네가 휴식이 필요하다고 타로카드가 말해 주었나 봐. 네가 칠한 색이 초록색과 핑크색이 많아. 초록은 자연과 가장 가까운 색이잖아. 그래서 치유나 힐링과 안식과 같은 의미가 있어. 너에게 지금 딱 필요한 색이 초록인 것 같아. 그리고 핑크는 귀엽고 사랑스러운 색이지. 네가 지금 사랑에 빠져 있는 마음을 반영한 것이란 생각이 들어."

"선생님, 정말 신기해요. 전 아무 생각을 하지 않고 그렸는데, 그런 의미가 들어 있다니!"

"어때? 재미있지? 그런데 그림을 그린 선이나 색이 선명하지 않고 희미한 부분이 있는데 이것은 일부러 이렇게 그린 것이니?"

"그냥 제 기분대로 그려 보았어요."

"지금 약간 힘이나 에너지가 부족하다는 느낌도 드는데, 이 그림에서 넌 긍정적인 느낌이 드니, 부정적인 느낌이 드니?"

"그래도 완성을 해 보았으니까 긍정적인 느낌이 들어요. 요즘 무엇인가를 완성한 적이 없거든요."

"그렇구나, 그럼 이제 이 그림의 제목을 정해 볼까?"

"고민이 되는데요. '지금의 내 마음' 이렇게 정하고 싶어요."

"사랑에 빠진 사람이 맞는 것 같네. 사실 이 만다라의 제목이 '사랑'이야. 하지만 네가 정한 제목이 더 너에게 의미가 있어."

"와, 정말 신기해요! 선생님, 저 더 색칠해 보고 싶어요. 혹시 만다라 컬러링 종이 더 가져가도 되나요?"

"그럼, 얼마든지!"

그 뒤 학생은 자발적으로 만다라 컬러링에 참여하였고 저와 더욱 친해져서 속 깊은 이야기도 나누는 사이가 되었습니다.

만다라는 자기 자신에게 집중할 수 있게 해 주고 심신을 차분히 하며 이완 효과를 주어 치유적 역할을 합니다. 요즘 중학생들은 항상 스마트폰이나 태블릿을 손에 쥐고 아무것도 하지 않는 시간이 없이 소음 속에 살고 있습니다. 학생들은 엄청난 자극 속에 살고 있기 때문에 그들의 집중력은 떨어지고 의욕이 없는 경우가 많습니다. 조용한 시간과 공간이 부족한 학생들에게 만다라 그리기는 고요를 체험하는 경험이 됩니다. 또한 만다라 컬러링이나 만다라 드로잉은 창조적 활동이기도 합니다. 이러한 창조적인 활동을 통해서 그동안 모르고 있었던 재미를 느끼기도 합니다. 이처럼 만다라는 학교 내에서 학생들의 심리적 상태를 분석하고 그들에게 고요를 체험할 수 있게 해 주는 도구로 사용될 수 있습니다.

만다라 명상&타로카드 실전 상담 사례 (3)
<학교 현장 학생 상담>

"내 안의 나를 만나는 시간"

> 본 만다라 사례는 김은미(교원) 만다라 전문가께서 초등학교 6학년 학생을 대상으로 수업을 한 사례입니다.

상담 일자: 2023년 7월 12일
상담자: 김은미(초등 교원)
내담자: 6학년 학생

학기 초부터 서로의 감정이나 생각을 나누는 시간을 꾸준히 가져 왔다. 아침 자습 시간이 되면 눈을 감고 호흡하면서 자신의 마음을 느껴 보고 그 안에 어떤 감정이 있는지 보는 것으로 명상을 해 왔다. 1분으로 시작한 것이 지금은 꽤 긴 시간도 가능해진지라 만다라 타로를 활용한 명상을 하는 것도 거부감 없이 잘 따라와 주었다. 이번에는 성격 카드의 의미와 간단한 키워드들을 알려 준 뒤 자신의 성격 카드에 해당하는 만다라를 느껴 보는 시간을 가졌다.

"여러분 앞에 놓여 있는 만다라는 여러분을 나타냅니다. 여러분에게 소개한 만다라의 키워드도 한번 읽어 보면서 만다라를 가만히 바라봅니다. 그 만다라가 여러분에게 전하는 어떤 메시지가 있을 겁니다. 이 만다라가 '너는 이런 사람이야.'라고 말해 줄 수도 있어요. 이제 눈을 감고 편안하게 호흡합니다. 두 발은 꼬지 않고 바닥에 닿게 합니다. 척추 뼈를 차곡차곡 쌓는 느낌으로 자세를 바로 해 봅니다. 나의 내면이 고 요해지면 천천히 눈을 뜨고 만다라의 중심을 바라봅니다. 만다라의 중심을 바라보며 그 중심에 내가 있다고 상상해 보세요. 조용히 바라보면서 감정이나 생각이 떠오르면 그저 가만히 내버려 두고 다시 만다라에 집중합니다.

이제는 다시 눈을 감고 만다라의 이미지를 떠올리며 호흡해 봅니다. 호흡과 함께 세상의 중심이자 우주의 중심인 만다라에 내가 있다고 상상하면서 만다라를 느껴 봅니다. 만다라의 중심에서 퍼져 나오는 빛과 그 에너지를 느껴 보세요. 그저 편안하게 만다라와 함께 호흡만 해 봅니다."

어느 정도 시간이 흐른 뒤에 아이들이 소감을 적고 친구들과 느낀 점을 나누어 보는 시간을 가졌다.

6번 사랑

백○○: 맨 안쪽에 8개의 막대 같은 것이 가는 방향을 알려 주는 것 같고 선택지는 여러 개라는 것을 말해 주는 것 같았다. 바깥의 3개의 곡선이 나를 지지하고 잘 잡아 준다는 느낌이 들었다.

7번 추진

오○○: 지금 기분은 평온하고 이 만다라를 보면서 '밝다, 희망, 긍정'이 떠올랐다. 눈을 감았을 때는 내 안에 노란색 글자로 '희망, 끈기, 노력, 할 수 있어.' 같은 긍정적인 말들이 스치듯 지나쳐 갔다.

정○○: 가운데 파란 점이 처음에 눈에 띄었다. 저것이 나라고 생각한다면 지금은 여러 틀로부터 막혀 있지만 언제든지 스프링같이 튀어 오를 날이 있을 것이다. 다르게 생각해 보면 처음 아주 작은 하얀 점이었던 내가 점점 커짐으로써 더 발전하게 될 것 같았다. 또 어제 공부를 많이 안 했는데 그런 내 모습이 짜증 나고 분해서 나에게 스스로 온갖 몹쓸 말을 하며 울었던 게 생각났다. 그런데 이 그림 속 파란 점을 보니 나에게 강한 추진력이 있다는 걸 느꼈다.

최○○: 눈을 감았을 때 만다라의 검은색 부분이 생각났다. 왜냐하면 최근에 학원에서 시험을 친 게 망해서 온 세상이 힘들고 두려웠기 때문이다. 그리고 그 옆에 파란색이 떠오르면서 힘들고 두려워할 필요 없이 희망을 가지라는 느낌이 들었다. 마지막으로 노란색은 항상 힘들고 슬프고 짜증 나고 속상하고 울고 싶을 때 나의 옆에는 가족이라는 존재가 있고 위로해 주는 친구들이 있기에 힘내자는 메시지를 주는 것 같았다. 가족들에게는 말하지 못하는 게 있지만 또 옆에 친구들이 있어 고민이나 속상한 일을 말할 수 있으니 힘내라는 의미인 것 같다.

8번 용기

김○○: 중앙에 있는 ∞ 모양을 중심으로 집중해서 보면 꽃이 보인다. 눈을 감는데 고요하고 음악 소리도 들리지 않았다. 빨간색 점이 초록색 눈물 모양과 마주 보고 있는 것 같다. ∞ 모양을 자세히 집중해서 보면 태양처럼 보이기도 한다. ∞ 모양은 무한한 상상력을 뜻하는 것 같다.

김○○: 나에게 세상은 평등하게 사는 것이니 자기 자신을 위한 세상이 아닌 우리 모두를 위한 세상이니 정직하고 계산적으로 그리고 남에게 베풀고 관용적으로 살라고 말하는 것 같다.

박○○: 만다라 중앙의 가장 높은 곳은 내가 있는 층이었고 밑에는 많은 사람이 축배를 들고 있었다. 나는 왠지 모를 책임감을 깊이 새겼고 행복해하는 아이들을 상상하며 사명감을 느꼈다. 만다라를 타며 백성들과 여행을 떠났다. 우주 곳곳을 날아다녔다.

9번 성찰

김○○: 만다라를 한눈에 보았을 때 중간을 기준으로 안쪽의 색감이 더 진하고 화려하게 느껴진다. 한편으로는 하나의 작은 막이 화려함을 못 나오게 하는 것도 같다. 눈을 감고 내가 중심에 있다고 생각하니 안쪽화려한 부분이 들썩거렸다. 중심에 있는 별이 해처럼 눈이 부셨고 오히려 바깥쪽에 있는 색들은 더 연해져 갔다. 내가 걸어간다고 느끼니 안쪽은 춤을 추고 싶었지만, 바깥쪽에 가니 목소리도 나오지 않고 움직여지지도 않았다. 해처럼 눈이 부신 별의 메시지도 들리지 않고 완전 극과 극인 느낌이었다.

10번 순환

박○○: 내가 만다라의 중심에 들어간 거 같았고 나를 둘러싸고 회오리가 도는 것 같았다. 빛이 나한테 오는 것 같았고 기분이 신기하고 편안해졌다.

11번 정의

박○○: 잡생각이 들지 않았다. '나는 어떤 사람일까?'라는 생각이 들었다. '나는 나에게 이득이 되는 판단을 하는 사람인가, 선한 행동으로 희생을 감수할 수 있는 사람인가?'라는 생각이 들었는데 순간 머리가 맑아졌다. 표현할 수 없을 만큼 맑아졌다.

이○○: 중앙이 여러 가지 색깔로 이루어져 조화를 이루는 것이 "모두와 어울려라."라고 말하는 것 같았다. 중앙은 화려하고 꽉 차 있지만 반대로 외각은 비어 있는 것이 합리적인 선택을 하지 않으면 그에 맞는 대가가 온다고 말하는 것 같았다. 이걸 보면서 나의 이딴가에 무언가 모이는 느낌이 들었다.

안○○: 어느 무인도에 갇힌 것 같았다. 한창 헤매다 나중에 새를 따라갔다. 길 여러 곳을 만났다. 어디로 갈지 몰랐는데 노란색 빛이 나는 길이 있었고 그곳으로 갔더니 동그란 발판이 있었다. 밟으니까 이 공간이 우주로 변했고 만다라는 내 주변에서 튀어 올라 나를 감쌌다. 옆에 누가 있었던 것 같기도 하다. 이 공간을 찾은 것이 너의 합리적인 판단이라고 말하며 환영해 주는 것 같았다.

12번 정체

박○○: 이 만다라는 꽃이 피어나는 아름다운 그림인 것 같다. 나에게 주는 메시지는 꽃은 바로 피는 게 아니라 숨어 있다가 피므로 내면에 아름다운 힘이 있으니 그 힘을 잘 써 보라는 것 같다. 지겹다고 힘들다고 포기하지 말고 열심히 하면 나도 꽃처럼 내면의 아름다움을 볼 수 있을 것 같다.

13번 죽음

김○○: 가운데가 죽음인 것 같다. 가운데 꽃이 희생당했지만, 그 재는 다른 꽃들이 크는 데 도움을 주고 시작이 있다면 끝도 있다는 것 같다. 죽음과 삶은 공존하고 있다고 생각하고 빛이 있다면 뒤에는 어둠도 있다는 것도 느껴진다. 대를 위해 소가 희생해야 하는가에 조금 짜증이 났다. 나는 내 마음속을 빛과 어둠을 공존시키도록 채웠다. 또 가운데 꽃이, 꽃이 아닌 다른 무언가로 보이기도 했다. 몸으로 생각하면 감기나 독감 같은 느낌으로 사라지게 하는 게 아닌 정화의 과정으로 생각되기도 한다. 그리고 이걸 적으니 왼손 약지가 아파 왔다. 내 생각에 여러 가지 기운이 섞이며 충격이 일어나는 것 같다.

김○○: 답답하다. 밖의 띠가 얼싸안고 있는 듯하고 그 안에 있는 꽃들이 중간의 꽃을 억누르고 있는 것 같다. 하지만 중간의 꽃은 밖에 있는 주변의 색과 다르게 까만 원에 있다. 어두운 것 같기도 하고 나만의 색을 알리는 것 같기도 하다. 눈을 감고 있을 때는 상체는 힘이 빠졌다. 하지만 그 반대로 하체에는 힘이 들어갔다. 상체는 아무런 느낌이 없었고 머리가 어지러웠다. 아무것도 하고 싶지 않았다. 엎드리고 싶었다. 힘이 없었다. 그런데 하체는 반대였다. 오히려 힘이 들어가고 탄탄한 것이 느껴지고 감각이 곤두세워졌다. 눈앞에서 빛이 소용돌이쳤다. 멍해졌다. 특히 초록색, 빨간색, 흰색이 소용돌이치다 갑자기 검은색에 그 색들이 먹혀 버리듯 덮쳤던 것이 기억에 남는다.

14번 절제

김○○: 내가 가운데 있다고 생각할 때 투명한 유리 벽이 있었고 나는 무슨 기계 같은 곳에 앉아 있었다. 그리고 그 기계에서 빛이 계속해서 나왔다. 바깥쪽은 돌고 있었다.

박○○: 이 그림은 희망인 거 같다. 이 그림을 보고 있으면 나한테 희망이라는 메시지가 왔고 "넌 할 수 있어."라고 말해 주는 느낌이 들었다.

아이들은 놀랍다. 길지 않은 그 시간에 자기 내면을 바라보고 만다라가 보내는 에너지와 메시지에 집중하며 놀라운 경험들을 하였다. 아직 낯설어하는 친구들이 있지만 대부분의 아이는 눈을 감고 자기 내면에 집중하기 시작했고 자신이 느낀 감정이나 생각을 글로 표현하는 시간에도 진지하게 임했다. 모둠에서 이야기 나눌 때는 자신의 개인적인 경험을 나누는 것에 거리낌이 없었고 그러면서도 친구들의 이야기를 흥미 있게 집중하는 모습도 보였다.

우리 아이들은 24시간 내내 다양한 시각적, 청각적 자극들 속에 살며 머릿속에는 자신들이 접했던 휴대폰 속의 영상이나 게임들의 잔상들로 가득하다. 그럴수록 고요히 자신의 내면을 바라보는 시간을 가지는 것이 필요하다. 자신이 무엇을 원하는지도 모른 채 시선은 늘 외부로만 가 있는 삶은 공허하고 자신이 가는 길을 왜 가는지도 모른 채 가게 되는 것이다. 우리 아이들에게 조금이라도 자기 내면을 들여다보며 자기 내면이 전하는 메시지에 귀 기울이는 훈련이 꼭 필요하다고 생각되었다. 하지만 가만히 눈을 감고 1분간 앉아 있는 것도 힘들어하는 우리 아이들에게 명상은 생소하고 지루하기만 한 시간이었을지도 모른다. 그러나 만다라를 활용하니 아이들이 명상을 접하는 태도가 조금 달라졌다. 만다라의 중심에 자신이 있다는 상상을 하라는 그 한마디에 아이들은 놀라울 정도로 자기 내면의 세계를 보여 주었다. 스스로도 미처 깨닫지 못했던 메시지를 접하며 아이들은 한층 더 성장해 나갔다. 이것이 바로 만다라의 힘이 아닐까 싶다.

만다라 명상&타로카드 실전 상담 사례 (4)
<본인 상담>

"내 속에 있는 또 다른 나의 해방"

> 본 만다라 상담 사례는 우수옥(교원, 초등 교장) 만다라 전문가께서 본인을 대상으로 상담을 한 사례입니다.

상담 일자: 2023년 7월 24일~26일
상담자: 우수옥(교원)

타로 상담을 배우면서 매일 하루의 흐름을 타로카드로 살펴보기도 하고, 조그만 일도 어떻게 해결해야 하는지 스스로 타로카드를 뽑아 리딩하며 일을 해결하곤 하였습니다. 제 생활을 돌아보면 그렇게 어렵거나 힘든 일, 걱정되는 일도 없습니다. 이제 나이도 있고 해서 즐겁게 건강하게 지내면 된다 생각하며 생활하고 있습니다. 그러면서 타로카드와 관련되는 연수에 계속 참여하며 실력을 쌓고자 노력하고 있습니다.

그런데 올해는 해결하지 못하는 고민이 생겼습니다. 예전에 없던 편두통(오른쪽 뒤쪽 머리)이 심하여 잠을 자다 새벽 1~2시에 깨는 것입니다. 남편의 권유로 신경외과 병원에 가서 검사를 하고 진료를 받았지만 뇌에는 아무 이상이 없다고 하면서 혈류성 두통이라고 진단을 내려 주었고 약 처방을 해 주어서 약을 먹는데 아플 것은 다 아프답니다. 도대체 왜 이럴까요?

<질문>

생활에서 어렵거나 힘든 일, 걱정되는 일도 없습니다. 제가 두통을 느끼는 것이 저 자신도 모르게 타로카드와 관련되는 배움에 부담을 가지고 있어서일까요? (과거-현재-미래)

처음 타로카드를 우연히, 호기심에서 접하게 되었고, 배우면서 막연하게 '유용하다, 좋다, 필요하다'는 것을 알게 되어 배움에 욕심을 내어 참여하여 왔습니다.

지금은 여러 가지로 어려운 상황에 놓인 것 같습니다. 한 가지에 집중하면서 다른 부분을 놓치게 되니 아쉽기도 하고 눈에 보이게 전문가로서의 능력이 키워지지 않으면서 용기도 부족해진 것 같습니다. 그러나 용기를 가지고 한 발 내어 나아가면 앞이 보이고, 고민들을 해결할 수 있을 것입니다. 앞으로 타로와 관련하여 전문가로서의 능력을 성실하게 키워 나가게 될 것입니다.

제가 두통으로 자꾸만 힘들어하는 모습이 보이자 남편이 말해 주었습니다. 지난 봄 아끼는 제자(장○○)의 사망 소식을 듣고부터 가끔 제가 멍하게 있거나 뉴스에서 죽음과 관련한 보도가 나오면 움찔하면서 소름 끼쳐 했다는 것입니다. 요즈음 더 자주 그러는 것이 보였다고 합니다. 그래서 병원에도 가자고 권하고 치료를 받게 한 것이라고 합니다.

제자 장○○는 초등 6학년 때 담임을 하였던 학생으로 그해 모친이 돌아가시는 바람에 의지하며 관계를 지속하여 왔고 가족이 만나 식사를 함께 하기도 하고, 작년 추석 때에도 인사를 나누었었습니다. 그런데 작년 월드비전 회사에서 나오고, 가정불화가 생기면서 우울증을 앓다가 아파트에서 투신하였다는 소식을 듣게 된 것입니다. 무척 놀랐었습니다. 실감이 나지도 않고 두렵기도 하고, 이해가 되지도 않고, 화가 나기도 하고, 서운하기도 하고, 아주 많은 느낌과 생각들로 혼란스럽기도 하였었습니다.

'죽음이 무엇일까?' 만다라 죽음 카드를 앞에 두고 명상을 해 보았습니다.

카드를 보고 있으니 참 예쁘고, 아름답다는 생각이 듭니다. 그런데 꽃송이가 따로따로 혼자 있습니다. 이어지는 끈이 없고, 붙어 있지도 않습니다. 이러한 것이 '죽음'일까요? 연결 고리가 없는 것이요.

장〇〇의 모습이 보이는데 잡히지도 않고 아무것도 없어요. 보고 있으니 자꾸 눈물이 납니다. 슬프기도 합니다.

남편이 옆에서 실컷 울라고 하였어요. 소리 내어 울었어요. 자꾸만 울음이 나왔어요. 남편이 '아무렇지도 않은 척 그냥 지내면서 계속 마음속 응어리로 남아 있었나 보다.'라고 했습니다.

응어리를 풀고자 컬러링 도안에 컬러를 입히며 명상해 보았습니다.

왜 그렇게 두려웠을까요? 왜 이해할 수 없었을까요? 왜 이렇게 화가 났을까요? 왜 그렇게 서운하였을까요? 왜 이렇게 혼란스러웠을까요?

'죽음'에 대한 막연한 두려움, 나보다 훨씬 어린, 아직 젊은 제자가 죽었다는 것이 실감이 나지 않았고, 내가 아무런 도움을 주지 못함에 대하여 나 자신에게 화남, 나에게 힘든 것을 풀어 주지 않음에 대한 서운함, 내가 잘하지 못한 것에 대한 죄책감 등 많은 생각이 들었습니다.

결국은 내가 장○○에게 아무런 영향을 미치지 못한 것에 대하여 나 스스로 죄의식을 갖는 것이었습니다. 나의 아들, 딸이나 학교에서의 아이들에게 '스스로'를 강조해 온 나의 교육관도 허물어졌습니다. 옳지 않았던 것 같습니다. 협력할 수도 있는 것이고, 서로서로 도와 가며 지낼 수도 있는 것인데 홀로서기만을 강조한 잘못된 나의 교육관이 마음 아팠습니다.

새로운 교육관 정립을 위해 고민해 보아야겠습니다.

만다라 명상을 통해 마음이 가벼워졌고, 나의 내면을 들여다보고 개선하거나 변화할 수 있는 시간을 가져서 좋았습니다.

만다라 명상&타로카드 실전 상담 사례 (5)
<학교 현장 교원 상담 (과거-현재-미래)>

"마음을 비추어 고요해지다"

본 만다라 상담 사례는 추주연(장학사) 만다라 전문가께서 50대 후반 교사를 대상으로 실시한 사례입니다.

상담 일자: 2023년 7월 21일

상담자: 추주연(장학사)

내담자: 오연주(가명, 50대 후반 여성)

<질문>

정년을 5년 앞둔 교사로, 이번에 명예퇴직을 하게 되었습니다. 언제부턴가 매일같이 피곤하고, 하는 일마다 힘에 부치고, 아이들 대하는 것도 자꾸 여유가 없어지길래 고민 끝에 퇴직 신청을 했습니다. 퇴직 확정이 되자 가족들도 모두 잘되었다고 하고 주변의 축하도 많이 받았습니다. 그동안 교사로서 할 수 있는 최선을 다했고 이제는 더 이상 할 수 있는 것이 없으니 미련도 후회도 없다고 생각했습니다. 그런데 그게 아니었나 봅니다. 마냥 홀가분할 줄 알았는데 왜 이렇게 마음이 헛헛한지 모르겠어요. 까닭 없이 울적하고 전에 없이 짜증이 나기도 합니다. 분명 내가 원해서 선택한 퇴직인데 뭐가 문제일까요?

1. 만다라 명상&타로카드 메이저 카드 22장 중 내담자가 무작위로 3장 선택

2. 전문 상담

　교사로 살아오면서 책임과 역할을 다하기 위해 추진력과 능력을 발휘하셨군요. 신념에 따라 행동하고 권위와 주도권을 발휘하셨겠어요. 내담자 스스로도 잘 해내고 싶은 마음에 끝없이 애쓰셨을 것 같습니다.

　이제 퇴직을 앞두고 교사로서의 모습이 삶 전체의 결과물이라는 생각이 드는 건 아닌지요? 내담자는 지금 교사로서 살아온 삶과 그 과정에서 자신의 선택과 행동을 되돌아보고 있습니다. 하지만 우선 판단은 잠시 접어 두고 자신의 과거를 있는 그대로 받아들일 수 있어야 합니다. 자신의 모습을 있는 그대로 받아들일 때 과거에서 벗어나 앞으로 나아갈 수 있습니다.

　이제 내담자는 퇴직을 자연스러운 흐름으로 받아들일 필요가 있어 보입니다. 퇴직 후 교사가 아닌 삶도 자연스럽게 순환되고 이어질 테니까요. 내담자의 의지와 회복력으로 삶의 새로운 국면을 기꺼이 맞이할 수 있을 것입니다.

3. 3장의 카드 중 내담자가 가장 마음이 끌리는 카드를 1장 선택

4. 명상 코칭

명상 음악과 함께 만다라 명상을 진행하겠습니다. 바르고 편안한 자세로 앉아 긴장을 풀어 주기 바랍니다. 천천히 숨을 들이마시고 천천히 내보냅니다. 부드럽게 숨을 들이쉬고 내쉬면서 선택한 카드를 바라봅니다. 이 카드가 나에게 주는 메시지를 여러 번 반복해서 말합니다. 때로는 부드럽고 조용하게, 때로는 크게 들리도록 하면서 내가 원하는 대로 소리가 나도록 말합니다.

< 내담자 소감 >

좋은 교사로 살고 싶었고 정말 치열하게 열심히 살았습니다. 남들에게 티를 안 내려 했지만 제 마음속에 어쩌면 평생의 숙제 같은 과업이었던 것 같습니다. 명예퇴직을 하면서 과연 사람들은 나를 어떤 교사의 모습으로 기억해 줄까 생각하니 자신이 없어지고 모든 것이 부질없게 느껴지더군요. 그런데 왜 이렇게밖에 못 했냐며 야단치는 것은 다른 사람이 아니라 나 자신이었습니다. 이제는 교사라는 이름이 아니라 그냥 나라는 사람으로 물이 흘러가듯이 편안하고 자유롭게 살고 싶네요. 선택한 카드가 마치 물레방아처럼 보였어요. '물이 흐르듯 살자.'라고 스스로에게 말하면서 마음이 고요해지고 평화로워졌습니다. 짧은 시간에 이런 마음이 들다니, 신기하고 고맙습니다.

만다라 명상&타로카드 실전 상담 사례 (6)
<학교 현장 교원 상담 (현재-가까운 미래-미래&만다라 명상)>

"자존감 향상 만다라 명상 체험"

> 본 만다라 상담 사례는 김순희 만다라 전문가가 정년 퇴임을 앞둔 중등 교장을 대상으로 타로 상담과 만다라 명상 체험을 진행한 사례입니다.

상담 일자: 2023년 7월 24일
상담자: 김순희(정년 퇴임 교원, 교장)
내담자: 정년퇴직을 앞둔 60대 중등학교 교장(여)

아래의 사례는 평소 알고 지내던 정년 퇴직일을 1년 앞두고 있는 후배 선생님과의 상담 내용입니다. 안부 인사 겸 전화를 해 왔기에, 내담자(후배 선생님)가 일상에서 물러나서 상담에 임할 수 있는 내적, 외적, 공간적 준비를 위해서, 우리 집에 와서 차 한 잔 같이하자며 내담자를 초대했고, 방문하는 시간에 맞춰 핸드폰으로 마음을 이완시키는 데 도움이 될 명상 음악을 찾아 두고, 라벤더 아로마 오일 램프도 작동시켜서 멀찍이 두었습니다. 1차로 유니버설웨이트 타로 상담을 마치고, 2차로 자존감 향상 만다라 명상을 진행하였습니다.

<질문>

정년 퇴직일이 이제 1년 남았어요. 저는 30년 넘게 교사 생활을 열심히 하고 살았기 때문에 퇴직하면 일단 아무것도 하지 않고 쉬고 싶어요. 그런데 주변 사람들이 자꾸 퇴직하면 어떻게 살 거냐, 뭘 하고 지낼 거냐, 누구는 퇴직 10년 전부터 미리 준비를 했다더라, 이제 백세 시대라서 퇴직 후에도 최소 30~40년의 세월을 더 살아야 한다, "혹시 나랑 이거 공부해 볼래?" 하며 말들이 많네요. 그때마다 "퇴직하면 쉬어야지 무얼 또 해?" 하고 대답은 하지만 그런 말들을 자꾸 듣다 보니까, 뭐라도 준비를 해야 하나 맘이 싱숭생숭해집니다. 지금이라도 내 적성에 맞는 뭔가를 준비해야 할까요? 저보다 먼저 퇴직하셨으니 조언 좀 해 주세요.

1. 유니버설웨이트 타로의 쓰리 카드 배열법 적용

(현재-가까운 미래-미래로 보자고 합의함)
- 본인의 마음 자체가 중요하다고 생각되어서 22장의 메이저 카드로만 활용하였음.

2. 전문 상담

상담자: 현재 상황으로 나온 카드가, 선생님이 정년퇴직 후의 자유로운 생활에 대해서 설렘을 가지고 기다리고 있다고 말하네요.

내담자: 정말요? 네, 맞아요. 퇴직하면 그동안의 책임감에서 벗어나고 학교 업무에 얽매이지 않을 것을 생각하면 설레기도 합니다. 아직은 공직에 몸담고 있으면서 이런 말을 하긴 좀 그렇지만 퇴직일이 기다려지기도 해요. 카드가 그렇게 말한다니 신기하네요.

상담자: 퇴직일이 기다려지는 마음, 이해가 가요. 선생님이라는 직업에 올인하며 오랜 세월 동안 온 정성과 에너지를 몽땅 쏟아부었기 때문일 거예요. 그래서 이제는 모든 것에서 손을 놓고 홀가분하게 쉬고 싶기도 한 것이 당연하다 생각됩니다. 어쨌거나 퇴직 직후엔 누가 뭐라고 하든 쉬는 모습이 보이네요. 제 생각에도 그동안 열정을 다해서 살았으니 잠시 쉬면서 비움의 시간을 갖는 것이 좋은 것 같습니다. 그런데 선생님은 천성적으로 일 중독에 걸린 현대인인 것 같아요. 퇴직 후, 바로는 아니지만 교장 선생님이 가지고 있는 내공과 재능을 활용해서 미래에 뭔가를 하고 있는 모습입니다. 퇴직 후 1~2년 후가 될지, 몇 년 후가 될지는 모르겠으나, 교장 선생님이 가지고 있는 재능을 지혜롭게 펼치고 잘 이끌어 나가는 모습입니다. 뭔가를 한다면 "이것을 해야지." 하는 것이 있나요?

내담자: 당장은 쉬고 싶다는 생각이 지배적이어서 구체적으로 생각은 안 하고 있지만, 저는 젊었을 때부터 수놓는 것을 좋아하고 틈틈이 수를 놓아서 생활 소품으로 활용하기도 하고 남들에게 선물을 주기도 했어요. 만일 퇴직 후 시간이 많이 지난 뒤 생활이 무료해져서 뭔가를 해야겠다고 생각된다면 그쪽 분야를 펼쳐 보고 싶기는 해요. 그런데 퇴직 전부터 뭔가를 준비한다는 사람들이 주변에 많고, 제게 자꾸 뭔가 권하는 사람들도 있고, 만나는 사람마다 "무슨 계획이 있냐?"라고 너도나도 물어 오니까 본의 아니게 싱숭생숭해질 때가 왕왕 있어요. 퇴직 후 쉬고 싶은 마음이면서도 문득문득 조급증이 인다니까요. 원래 제가 해야 될 일을 두고 못 보는 급한 성격이기도 하거든요.

상담자: 타로는 일단 선생님의 바람처럼 퇴임 직후는 "열중쉬어!" 하고 쉬겠다 하네요. 그런데 앞으로 평생 뒷짐만 지고 살지는 않을 것 같아요. 선생님은 쉬는 기간에도 머릿속으로는 앞으로 펼치고 싶은 재능에 대해서 잠재적으로 늘 생각하면서 능력을 쌓는 기간으로 준비를 하고 있는 모습입니다. 그렇다면 퇴직 후에는 일단 1년이 되었든 얼마가 되었든 가급적 편하게 쉬면서 재능을 펼칠 때를 대비해서 재능 관련 여행도 하고 느긋하게 정보 탐색을 하면서 어떻게 펼치는 것이 좋은지 자아실현을 위한 물밑 구상을 하면서 보내는 것이 좋겠습니다. 타로가 그렇게 한다고 말하고 있고요. 선생님 내공이 보통이 아닌데요, 뭐!

퇴직을 1년 앞두고 있으니까 사람들이 말하기 좋게 인사말로 퇴직 후에 뭘 할 거냐 자꾸 물어 올 것이고, 퇴직 후 쉬는 기간에도 계속 "뭐 하고 지내?" 물어 올 것입니다. 그러거나 말거나 교장 선생님 철학과 생각이 뚜렷하니 당장은 싱숭생숭해하지 말고 맘을 느긋하게 갖고 30여 년 몸담아 온 교직 생활의 마무리를 잘 하시기 바랍니다.

3. 만다라 명상
15장의 자존감 만다라 카드 중 내담자가 가장 마음이 끌리는 카드를 1장 선택

<준비>

코칭 : 편안함, 이완, 주시의 방법 활용으로 내면에 집중하도록 유도

- 먼저 저와 함께 눈을 잠시 감고 단전 호흡을 하며 마음과 호흡을 차분하게 해 볼게요.
- 편안한 자세로 앉아서 긴장을 풀어 주시기 바랍니다. 두 손은 양쪽 무릎에 올리고 천천히 4박자씩 숨을 들이쉬고, 내쉬고를 반복해 보겠습니다. 하나, 둘, 셋, 넷, 한 박자 멈추고, 하나, 둘, 셋, 넷 내쉬고, 한 박자 멈췄다가, 다시 4박자 들이쉬고~ 멈췄다가 내쉬고~~ 의식적으로 자신의 호흡에 집중해 보세요. 핸드폰으로 명상 음악을 잠시 들려드릴게요. 음악을 들으면서 계속 호흡에 집중하시면 됩니다.

- 호흡 중에 다른 생각이 나면 그 생각을 잡지 말고 다시 호흡의 흐름을 관찰하며 집중하시기 바랍니다.

<만다라 선택>

자존감 만다라 15장을 제시하고 가장 맘에 드는 만다라를 고르게 함.

- 이제는 눈을 뜨고 앞에 펼쳐 놓은 만다라 카드 중에 가장 맘에 드는 것을 한 장 골라 보세요. (내담자는 15장의 자존감 만다라 중 아래의 '속삭임' 만다라를 선택하였음)

4. 만다라 명상 코칭

<코칭 진행>

선택한 만다라 그림만 앞에 두고 집중해서 바라보도록 함.

- 앞에 있는 만다라 그림에만 집중하도록 합니다. 명상 음악을 들으면서 3분만 집중해 보겠습니다.
- 이제는 집중하면서 마음속으로 만다라 그림 중앙에 올라가 앉아 보세요. 그리고 만다라 그림과 최근에 선생님을 싱숭생숭하게 했던 내면을 번갈아 들여다보시며 집중해 보기 바랍니다.

<내담자 소감>

상담자: 왜 이 그림을 선택했어요?

내담자: 이 만다라 그림이 다른 그림들보다 더 자유롭고 편안하게 보였는데 아마 다른 만다라 그림들은 외곽선이 확고하게 그려져서 그렇게 느껴진 것 같아요. 그리고 연한 옥색과 황금색 파스텔 색조가 부드럽게 마음에 와닿더라고요.

상담자: 그럴 수 있어요. 외곽선이 트여 있다는 것은 뭔가 끝없이 솟구치는 내면의 확산에 막힘이 없다는 느낌도 주거든요. 만다라 그림에 집중할 때 드는 생각들은 어땠나요?

내담자: 만다라 그림의 중앙에 앉아서 제 마음속을 들여다보니 저도 모르게 저에게 "그동안 수고했어!" 하며 따뜻하게 위로하는 나 스스로를 발견했고, 틈틈이 조급해지는 생각들과 싸우던 마음이 비워지는 듯 문득문득 저를 싱숭생숭하게 만들었던 생각들이 정렬이 되는 것과 같고, 그러면서 마음이 편안해지는 느낌을 받았어요.

　그리고 신기한 체험을 했는데요. 그렇게 생각이 정리가 되면서 신기하게도 만다라 꽃잎이 빛을 받아 피어나는 것처럼 꽃잎들이 일제히 나를 감싸고 밖으로 화사하게 피어나는 듯한 기분도 느꼈어요.

　내담자는 소감 말미에, 살아오면서 명상을 해 봐야겠다고 생각해 본 적이 없었는데, 오늘 기도와는 좀 다른, 가만히 자기의 내면을 바라볼 수 있는 기회를 만들어 주는 것 같다며 조금은 신기한 듯이 말했고, 만다라 문양이 참 예뻐서 이 문양대로 레이스 실로 떠 보고 싶다고도 했음

만다라 명상&타로카드 실전 상담 사례 (7)
<학교 현장 교원 상담(리딩-조언-결과)>

"마음의 평안을 찾을 수 있는 만다라 타로상담"

> 본 상담 사례는 장선순(교원) 만다라 전문가께서 지인의 의뢰받아 실시한 유니버셜웨이트 타로카드와 만다라 타로카드를 활용한 상담 사례입니다.

상담 일자: 2023년 7월 17일

상담자: 장선순(교원)

내담자: 김도연(여, 가명), 50대 여성

<질문>

> 저는 학교생활을 하면서 인간관계가 매우 좋고 다른 사람들과 나쁜 일로 속상한 일은 적었던 것 같습니다. 한번 맺은 인연들은 끊지 않고 오래도록 이어 가기 때문에 지속해서 만나고 있는 사람들이 많습니다. 하지만 제가 요즘 정리하고 싶은 사람이 있는데 그 사람에게 이야기하기가 힘들고 만나면 왠지 회피하고 싶은 마음이 듭니다. 계속 인연으로 이어 가야 할지 끊어야 할지 고민도 됩니다. 앞으로 그 사람과 어떻게 해야 할까요?

<전문 상담>

예! ㅇㅇㅇ 님은 그 사람과 열심히 잘 지내 오고 차근차근 관계를 쌓아 온 사이였지만 현재는 그 사람과 어떤 일로 인해서 관계가 정체된 상황이군요. 가까이 가서 만나는 것은 싫고 머리로만 계속 이 현상을 생각하고 있습니다. 그러다 보니 내 마음만 복잡하고 스트레스를 받을 수 있습니다. 그 사람과 과거에는 잘 지내 왔는데 갑자기 무슨 오해가 있어서 그럴 수도 있으니 그 사람에게 솔직하게 이야기하고 대화를 해 보면 어떨까요? 대화하다 보면 그 사람이 그렇게 할 수밖에 없는 이유를 알 수 있지 않을까요? 그러면 응어리가 풀릴 것 같네요. ㅇㅇㅇ 님이 어떻게 행동을 하느냐에 따라 결과가 좋은 결과로 올 수 있으니 재회하여 그 사람과 긍정적인 마음으로 이야기를 한번 해 보는 것은 어떨까요? 그렇게 하면 결과적으로 그 친구와는 여유롭고 풍요로운 관계로 잘 지낼 수 있으며 편안한 관계가 될 것 같습니다. 오해만 잘 풀린다면 사회생활도 더 잘할 수 있고 ㅇㅇㅇ 님은 베풀면서 여유롭게 잘 지낼 수 있을 것입니다.

만다라 타로 실전 상담 <리딩-조언-결과>

<질문>

> 저는 학교생활을 하면서 인간관계가 매우 좋고 다른 사람들과 나쁜 일로 속상한 일은 적었던 것 같습니다. 한번 맺은 인연들은 끊지 않고 오래도록 이어 가기 때문에 지속해서 만나고 있는 사람들이 많습니다. 하지만 제가 요즘 정리하고 싶은 사람이 있는데 그 사람에게 이야기하기가 힘들고 만나면 왠지 회피하고 싶은 마음이 듭니다. 계속 인연으로 이어 가야 할지 끊어야 할지 고민도 됩니다. 앞으로 그 사람과 어떻게 해야 할까요?

<전문 상담>

상담자: ○○○ 님! 유니버셜웨이트 타로카드 말고 명상과 함께하는 만다라 타로카드로 한번 상담해 보도록 하겠습니다. 전에 뽑은 유니버셜 타로카드와 같은 번호에 해당하는 카드이지만 느낌이 어때요?

내담자: 느낌이~~ 예! 왠지 더 기분이 좋아지는 것 같고 영적으로 와닿는 듯한 느낌이 드는데요.

상담자: 아 그래요? 맞아요. 만다라 타로카드는 명상으로도 할 수 있는 카드랍니다. 일단 처음 카드를 보니 어떤 느낌이 드나요?

내담자: 왠지 화가 나 있는 듯한 느낌이 드는데요. 그리고 편안한 마음도 들어요.

상담자: 아 그렇군요. 잘 지내던 사람과 어떤 일로 인해서 관계가 정체된 상황이다 보니 화가 나 있는 것처럼 보일 수 있습니다. 서로 거리만 두고 가까이 가서 만나는 것은 싫고 머리로만 계속 이 현상을 생각하니 화가 날 수도 있겠네요. 그리고 만다라 카드에서 왠지 따뜻함도 느꼈군요. 두 번째 카드에서는 어떤 느낌이 오나요?

내담자: 왠지 냉철해져야 할 것 같은 생각이 듭니다. 그리고 반성하는 마음도 듭니다

상담자: 한 번 더 생각해 봐야 할 듯한 느낌 말이지요.

내담자: 예! 제가 제 생각만 하고 상대방 생각은 안 한 듯한 느낌이 듭니다.

상담자: 예! 그렇군요. 그 사람과 과거에는 잘 지내 왔는데 갑자기 무슨 오해가 있어서 그럴 수도 있으니 그 사람에게 솔직하게 이야기하고 대화를 해 보면 어떨까요? 대화하다 보면 그 사람이 그렇게 할 수밖에 없는 이유를 알 수 있을 것 같습니다. 그러면 응어리가 풀릴 것 같네요. ㅇㅇㅇ 님이 어떻게 행동을 하느냐에 따라 결과가 좋은 결과로 올 수 있으니 재회하여 그 사람과 긍정적인 마음으로 이야기를 한번 해 보는 것은 어떨까요?

내담자: 이 카드를 보면서 되돌아보니 정말 그 친구의 마음도 한번 생각해 보게 되네요. 내 마음을 먼저 한번 되돌아봐야겠다는 생각이 듭니다.

상담자: 세 번째 카드에서는 어떤 느낌이 드나요?

내담자: 왠지 풍요롭고 뭔가 이루어질 듯한 느낌이 드는데요. 맞아요! 서로 대화를 해 보고 오해가 풀리면 그 친구와도 잘 지낼 수 있으며 그 친구와는 더 여유롭고 풍요로운 관계로 잘 지낼 수 있을 것 같습니다. 지금보다 더 편안한 관계가 될 것 같습니다.

상담자: 만다라 카드로 상담을 해 본 후 느낌은 어떠하나요?

내담자: 마음이 차분해지고 다 해결된 듯한 느낌이 듭니다. 그리고 만다라 카드로 이런 심리 상담을 할 수 있다니 정말 신기하고 감사합니다. 마음의 평안을 얻은 듯하여 문제가 해결되지는 않았지만 해결될 것 같은 느낌이 듭니다. 감사합니다.

"자신감을 갖고 아름답게 늙어 가기"

본 만다라 상담 사례는 김건숙(상담센터장) 만다라 전문가께서 상담센터를 운영하며 50대 남성 내담자를 대상으로 실시한 사례입니다.

상담 일자: 2023년 7월 19일 10:00~12:00
상담자: 김건숙(상담센터장)
내담자: 홍길동(가명, 50대 남성)

젊은 시절 강직성 척추염으로 고통을 겪었던 50대 길동 씨는 40대 초반에 다니던 직장을 그만두고, 자신이 하고 싶었던 부동산 컨설팅을 하면서 자유롭게 살고 있다. 길동 씨는 시간과 경제적으로 여유가 어느 정도 생겼지만, 지금도 자신이 꿈꾸는 남은 인생의 '아름다운 삶'을 위해 부단히 노력하고 있다. 상담실에 들어와서는 자신의 현재 일상 이야기를 끊임없이 상담자에게 들려주었다. 새로 시작한 운동인 탁구가 너무 재미있어서 하루도 빠짐없이 갈 정도라고 말했고, 자신은 하고 싶은 것이 너무 많고, 자신이 알고 있는 것을 도움이 필요한 사람에게 알려 주고 싶으며, 자신이 얼마나 효율적으로 살고 있는지를 말해 주었다. 그리고 지금 현재 바람은 '아름답게 늙어 가는 것'이고, 이것을 위해서 5년 이상은 준비해야 한다고 말했다. 자신의 아버지는 나이가 들어도 옛날의 습관을 버리지 못하고, 고집을 부리며 살고 있는데, 자신은 그러고 싶지 않다고 말했다. 그리고 탁구를 칠 때 처음 치는 회원에게도 이기려고 하는 사람을 보면 인간이 얼마나 탐욕스러운지 느껴진다고도 하였다. 자신은 그런 사람이 되고 싶지 않다고 말했다.

내담자의 긴 이야기를 충분히 들어 준 다음에 다음과 같은 질문을 통해 만다라 명상을 시작하였다.

"길동 씨의 이야기 속에 '아름답게 늙어 가기'라는 말이 인상이 남는데, 오늘은 이 주제로 만다라 명상을 시작해 볼까요?"

"네, 내가 요즘 자주 생각하고 있는 일이에요."

"좋아요. 그러면 먼저, 제가 편안한 음악을 들려줄 테니 편안한 자세로, 눈을 감아도 좋고, 감지 않아도 좋습니다. 편하신 대로 하시면 됩니다. 아랫배를 불룩하게 하면서 코로 숨을 들이마시고, 입으로 내쉬면서 호흡을 시작합니다. 시간이 지나면서 자연스럽게 호흡에 따라 어떤 이미지나 소리, 느낌 등을 그대로 느껴 봅니다. 주의가 흩어지면 다시 호흡에 주의를 기울이면서 느껴지는 대로 느껴 봅니다. (4분, feat 명상음악)"

길동 씨는 눈을 감지 않고 시선을 멀리하면서 명상에 젖어 들있다.

"자, 이제 준비되셨으면 '지금 여기'로 돌아옵니다."

느꼈던 이미지가 흩어지기 전에 대화를 잠시 미뤄 둔 채 만다라 명상 카드 22장을 보여 주면서 자신의 상황과 관련 있거나 주의를 끄는 이미지가 있으면 선택하도록 안내하였다. 길동씨는 6번 '사랑' 카드를 선택하였다.

a. 선택한 만다라 명상 카드

"길동 씨, 이번에는 길동 씨가 선택한 이 이미지를 보면서 느껴지는 것을 느끼고, 현재의 상황과도 관련하여 확장하여 명상하도록 하겠습니다. 길동 씨가 경험하고 싶은 만큼 시간을 써도 좋습니다. 어떤 이미지가 떠오르면 그 이미지에 집중하면서 계속해서 확장해 나갑니다. 시각, 청각, 신체 감각 등 떠오르는 것들을 있는 그대로 느껴봅니다. (10분, feat 명상 음악)"

b. 만다라 카드 명상 후
   드로잉 작업

"어떤 이미지가 떠오르셨나요?"

"호흡에 따라 안에서 쭉 퍼져 나가는 이미지요, 그리고 다시 호흡하면, 다시 안에서 쭉 퍼져 나가는 이미지요."

"여기에 종이와 색연필이 있으니, 자유롭게 명상하면서 경험했던 색이나 이미지를 이용해서 표현을 한번 해 보세요."

길동 씨는 종이 한가운데에 '나'라고 원 안에 쓰고 좀 벗어나서 '단순'이라고 썼다. 길동 씨가 평소 자신이 느끼는 것을 언어로 장황하게 이야기하는 성향이 있어서 자신이 느꼈던 이미지를 글로 표현하려는 충동이 일어난 듯했다.

"느낀 이미지를 말로 하기보다는 표현하고 싶은 대로 원이나 선 등 여러 가지 모양 등으로 표현해 보세요."

"그림을 잘 못 그려요."

"잘 그리고, 못 그리고는 중요하지 않습니다. 길동 씨가 내면으로 경험했던 것을 자유롭게 이 종이에 펼쳐 보이시면 됩니다. 무엇이든지 좋습니다. 원하는 만큼 시간을 쓰시고, 준비가 되면 말씀해 주세요. (10분, feat 명상 음악)"

색을 칠하지 않고 파란색을 이용하여 화살표 형식으로 마음을 표현하였다.

"색을 칠하셔도 좋습니다. 더 그려 넣을 것이 있으면, 더 그려 넣어도 좋습니다. 색칠도 해 보세요."

"아니에요, 단순한 것이 좋아요." 그렇게 말하고 화살표 위에 안으로부터 파란색의 5개의 원을 퍼지면서 그려 넣었다.

"이 이미지는 무엇을 표현하신 건가요?"

"중심에는 내가 있고, 숨을 들이쉬고 내쉴 때 내 안에 있는 나쁜 것들이 빠져나가 공중에서 분해되는 느낌을 뻗어 나가는 화살표로 표현했어요. 반대로 밖에서 안으로 들어오는 화살표는 밖에 있는 맑은 공기를 빨아들이고 있어요. 다시 밖으로 내보내고 있어요. 분해되고, 형성되고, 아픔이 분해되어 없어질 때까지요."

"아, 그렇군요, 이 이미지에 제목을 붙여 본다면, 무엇이라고 붙여 볼 수 있을까요?"

"인생무상이라고 짓고 싶어요. '부질없는 짓거리는 하지 말고 살자.'라는 거죠. 우리 아버지는 지금도 화를 내고 고집부리고 그래요. 왜 그렇게 사나 싶어요. 나는 그렇게 살고 싶지 않아요. 그래서 잔소리를 안 하려고 노력해요. 불교에서 말하는 '업'대로 살고 가는 거죠. 옛날에는 나의 인정하기 싫은 부분을 거부했지만, 불교 방송을 들으면서 '업을 받아들이자.'라고 생각하고 있어요. 화를 내고 나쁜 짓을 하고 이런 일은 업을 짓는 일이죠."

"업을 짓지 않기 위해서 노력하는 모습이 느껴지네요, 혹시 지금까지 길동 씨가 아팠던 것을 업이라고 생각하시나요?"

"업이죠. 다 받아들이니 편해요."

"그렇군요, 계속해 볼까요? 다시 이미지로 돌아가서 사용한 컬러는 무엇을 표현하신 건가요?"

"원래는 무색이에요. 무색은 표현할 수 없기 때문에 하늘을 향해 뻗어 나가니까 파란색으로 표현했어요."

"제3자의 시각으로 본다면 이 이미지를 어떻게 느낄까요?"

"제3자는 이해 못 할 것 같고, 설명할 필요도 없어요."

"길동 씨의 생각을 말하기보다는 길동 씨가 제3자가 되어 느껴 보는 거예요."

"가운데 시발점에서 퍼져 나가고, 외부에서 다시 가운데로 들어오고요."

"그렇군요. 제가 느끼는 것을 한번 말해 볼게요. 색깔은 파란색 한 가지 색이고, 중심에 '나'라고 쓰여 있어요. 이미지를 상징을 이용해서 그려 볼 것을 권했는데, 말로 표현하고 싶은 충동에서 '단순'이라고 쓰신 듯하구요. 고요히 '혼자'라는 느낌이고, 방해받지 않고 오로지 '나'에게 집중하고 싶다는 느낌이 들어요. 어떠세요?"

"네, 맞아요. 나는 누가 내 삶에 끼어드는 것 좋아하지 않아요. 나도 방해를 안 했으니까, 내 방식대로 살도록 내버려 두길 바라요. 예전에는 이런 성향이 더 심했어요. 내가 정한 규칙대로 하루가 흘러가야지, 그렇지 않고 끼어든다거나, 내가 싫어하는 것을 강요하면 짜증이 나요."

"좀 전에 고집을 부리는 아버지 이야기를 했는데, 갑자기 길동 씨

모습에서 길동 씨가 닮고 싶지 않다던 아버지의 모습이 겹치는데요."

"맞아요. 내 아이들이 나이 들면 아빠는 할아버지보다 더 심할 거라고 말해요. 나도 인정하는 부분이에요. 아버지처럼 내가 하려고 했던 일을 누군가 방해하는 것을 아주 싫어하죠. 나는 다음 날 일정을 위해 잠을 충분히 자야 하고, 내 패턴을 유지해야 해요. 남에 의해 이리저리 끌려다니는 것이 싫어요. 그래서 일요일에도 집에 안 있고, 간섭받기 싫어서 내가 좋아하는 탁구를 치러 가기도 해요. 내가 싫어하는 건 하기 싫어요. 가족들과 쇼핑하고, 집들이에 가고 등등."

"길동 씨가 원하는 삶이 어느 정도 이해가 되네요. 그런데, 길동 씨가 조금 전에 선택한 만다라 명상 카드는 '사랑' 카드입니다. 제가 느끼기에 길동 씨는 방해받지 않는 자신만의 삶에 대한 욕구도 있지만, 누군가와 사랑을 나누고, 또는 사랑을 받고 같이 나누고자 하는 소망도 있는 듯한데, 어쩌면 이 두 가지의 욕구가 길동 씨에게 대립되는 면이 있는 듯해요. 어떠세요?"

"맞아요. 요즘 그런 생각이 들어요. '누군가와 같이 시간을 나누며 함께하며 이렇게 노년을 보내면 좋겠구나.' 하는 생각 말이죠. 그런데 아내와 나는 좋아하는 음식도 취미도 안 맞아요. 탁구 동호회 사람들과 탁구 치며 조금씩 시간을 보내요."

"좋아요, 이전 드로잉 작업에 대해 탐색하고 살펴보면서 충분히 이야기를 나누었어요. 이번에는 이야기를 나눈 후의 느낌, 내 내면에서 원하는 색깔, 이미지로 드로잉 작업을 해 볼 거예요. 마음이 이끄는 대로 자유롭게 종이에 표현해 보세요. 시간은 필요한 만큼 쓰시면 됩니다. 준비되면 말씀해 주세요.(10분, feat 명상 음악)"

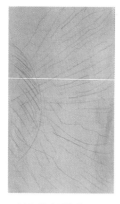

c. 분석 심리 상담 후
드로잉 작업

"이전(Before) 드로잉과 상담 후(After) 드로잉을 한번 느껴 보세요. 어떤 차이점이 있나요?"

"차이가 없는 것 같아요. 둘 다 흘러가는 거죠."

"제가 느끼기엔 다른 점이 느껴져요. 쓰는 색깔도 변했고, 이미지도 달라졌어요. 색깔이나 상징의 표현은 각자의 깊은 마음 안에 있는 나의 또 다른 부분을 드러낸 것이라고 볼 수 있죠. 각기 고유의 에너지가 다르죠. 같이 한번 살펴볼까요?"

길동 씨는 자발적으로 상담 후 드로잉 작업에 대한 느낌을 표현하기 시작했다.

"첫 번째 그림은 직선 화살표로 퍼져 나가는 것을 표현했는데, 두 번째 그림은 흐르는 것을 표현했어요. 왼쪽에서 오른쪽은 흘러가죠. 중심에서 바깥으로. 그런데, 선을 거슬러서 그리려 하니 멈칫하는 것을 느꼈어요."

"원래의 것을 흐트리지 않고 보존하려고 하려는 길동 씨의 성향이 나타나지 않았나 싶어요. 잘 알아차리신 듯해요. 감각이 깨어나기 시작하신 듯해요. 또, 발견되는 것은 이전(Before) 그림보다 선이 좀 더 자유스러워졌어요. 규칙에서 좀 벗어난 듯 굵은 것도 있고, 그렇지 않은 것도 있고, 긴 것도 있고, 짧은 것도 있고, 곡선도 있고, 흐트러진 선도 있구요."

"아, 그러네요. 이전보다 힘이 느껴지기는 했어요."

"제목을 붙여 본다면, 뭐라고 지어 볼까요?"

"널리 퍼짐, 남은 삶에서 내가 추구하는 데로 갈 것 같다!"

"좋은데요. 뒤에 같다를 쓴 것은 무슨 의미인가요?"

"95%라는 의미죠? 빠져나갈 여지는 남겨 놓아야죠. (웃음)"

길동 씨는 드로잉 뒷면에 이전 드로잉(Before) 제목 '인생무상'보다 힘 있게 '널리 퍼짐'을 적고 날짜까지 적었다.

"삶에 대한 자신감이 느껴지네요. 추가로 이미지를 더 살펴보면, 이전 드로잉보다 다른 색이 등장했어요. 초록색을 먼저 쓰기 시작했어요. 초록색을 주색으로 하여 남색, 보라색, 주황색 등요. 초록색의 에너지는 치유와 안정, 남색은 직감과 성찰, 보라색은 영성을 의미해요. 그리고 이전 그림은 파란색으로 음의 에너지만을 이용해서 연하게 그렸어요. 그런데, 상담 후 이미지에서는 양의 에너지인 주황색이 등장했고, 중심의 주황색 원은 진하고 점점 퍼져 나가고 있어요. 주황색은 즐거움을 추구하는 것과 관련된 색이기도 해요. 주황색과 같은 외부로 향하는 에너지를 길동 씨 내면에서 필요로 하고 있는 듯해요."

길동 씨는 신기한 듯 해석에 집중하는 모습을 보였다.

변화된 드로잉 작업에 대한 피드백 후에 길동 씨는 자발적으로 자신이 통찰한 내용을 힘 있고 안정된 목소리로 들려주었다. 내담자의 내면화 작업을 돕기 위해 좀 더 깊은 공감과 수용의 태도로 주의를 내담자에게 보내며 충분히 이야기를 들어 주었다. 길동 씨의 오늘의 '작은 성공'을 격려하고 지지하는 과정을 통해 '아름답게 늙어 가기'의 원하는 삶에 대한 의지와 자신감을 삶에서 행동으로 실천할 수 있도록 힘을 싣는 작업을 했다.

"오늘 상담 중 마지막 작업을 할 때 힘이 느껴졌어요. 무엇인가를 해낼 수 있다는 자신감이 들었어요. 내가 스스로 마음의 평온을 위해 노력하고 있지만, 내 안의 이런 이야기를 누구한테 할 수 있겠어요. 아무한테나 할 수 있는 이야기는 아니죠. 언제 한번 나하고 탁구 같이 쳐요. 다른 사람과 함께하는 것이 편한 사람은 아닌데, 탁구는 다른 사람과 내가 조금씩 어울리기 시작하는 데 좋은 운동인 듯해요."

"지금 길동 씨가 시작한 탁구가 '재미있어 좋아 죽겠다.'라고 표현했었는데, 주황색 에너지가 발현하기 시작한 듯해요. 탁구로부터 시작해서 점점 사람들과 어울리는 즐거움을 추구하는 것이 확장될 듯하네요. 길동 씨가 상담 초기에 '인생무상', '업보니 받아들이자.'라는 깨달은 듯한 명제는 언어로 표현된 것이지, 실제로 길동 씨의 깊은 잠재의식은 무엇을 말하고 있는지를 아는 것은 한계가 있다고 생각해요. 자신의 내면을 좀 더 진솔하게 들여다볼 수 있는 만다라와 같은 상담 작업 등을 통해 지속적으로 다루면 길동 씨가 목표로 하는 '아름답게 늙어가기'를 좀 더 수월하게 실현할 수 있다고 생각해요. 오늘 적극적으로 만다라 상담에 참여하셨어요."

"그래요. 이 상담을 통해서 알게 된 것은 나는 간섭 안 받고 뭐든지 혼자 하는 것이 편했는데, 탁구를 통해 다른 사람과 어울리기를 시도하면서 즐거움을 추구하고 내가 원하는 목표, 예를 들면 '아름답게 늙어가기'와 같은 삶의 목표가 강해짐을 느꼈어요. 실현 가능성에 대한 확신도가 높아졌어요."

"좋은 결과 얻어서 기뻐요. 언제든지 길동 씨의 내면 작업을 도와줄 수 있어요. 함께해요."

"오늘 감사해요."

"네, 오늘 수고하셨어요. 다음에 또 뵙기로 해요."

만다라 명상&타로카드 실전 상담 사례 (9)
<일반 상담>

"우울과 불안을 넘어 마음의 평안과 안식을 찾다"

본 만다라 상담 사례는 소난영(교원) 만다라 전문가께서 지인의 소개로 50대 중반의 남성 내담자를 대상으로 실시한 사례입니다.

상담 일자: 2023년 7월 22일
상담자: 소난영(중학교 상담 교사)
내담자: 이나무(가명, 50대 중반의 남성)

<내담자 배경>

가족관계: 아내(50대 초반), 자녀 없음
직업: 가구 공방 운영

　내담자는 3남매의 장남으로 공부를 잘해 주변에서 개천에서 용이 나왔다고 할 정도로 부모와 친척들의 기대를 받고 자랐다. 그러나 내담자는 어린 시절 아버지의 정신적·신체적 학대와 폭력으로 마음에 상처가 많아 아버지를 싫어하였다. 어머니는 일을 하지 않고 술만 마시면 폭력을 일삼았던 남편 대신에 노점상을 운영하며 가정의 실제적인 가장이 되어 자녀들을 양육하고 공부시켰다. 내담자는 어머니의 사랑이나 교육이 없었다면 자신은 집을 나가 막살았을 것 같다고 하였다.
　결혼 후 아내가 아버지와 자신의 관계를 어느 정도 회복시키는 역할을 해서 지금은 아버지와 대화를 하나 아버지에 대한 상처와 원망의 마음이 사라진 건 아니다.

아버지가 바라는 모습으로 되고 싶지 않아 열심히 살고 싶지 않았으며, 좋은 아버지가 될 자신도 없어 자녀를 갖는 것에 반대하여 지금은 아내와 둘이 살고 있다. 아내가 출근하고 나면 너무 외롭고 힘들어 아는 지인들과 전화나 문자로 소통하고 가끔 만나는 정도로 지내고 있다.

코로나19로 인해 하는 일이 잘되지 않아 주식에 더 매달리게 된 것 같다. 너무 욕심을 부려 은행에서 대출을 받아 투자한 것이 생각처럼 잘되지 못했다. 그 결과로 빚이 기하급수적으로 늘었고 갚지 못하는 상황까지 온 것 같다. 아내가 빚의 일부를 은행에서 대출받아 변제해 주었지만 빚은 아직도 많이 남아 있다. 내담자는 자신의 잘못된 행위(주식 투자)로 인해 아내에게 부담을 주고 아내를 힘들게 한 것 같아 죄책감이 들고 죽고 싶다는 생각이 자주 들게 되는 것 같다. 최근에는 자신이 처한 상황이 나아질 기미가 보이지 않아 우울하고 답답해 술을 많이 마시게 되었으며, 이 일로 아내와 자주 다투게 되었다. 자주 다투다 보니 아내와 갈등의 골이 깊어지게 되어 이전보다 더 힘들고 고통스럽다.

<질문>

요즘 계속 우울하고 불안해서 잠도 오지 않습니다. 제가 돈을 빌려 주식에 투자했는데 투자한 주식이 휴지 조각이 되어 돈을 모두 잃게 되었습니다. 돈을 빌려 투자했기 때문에 돈을 갚아야 하는데 사업도 잘되지 않아 빚만 쌓이게 되었습니다. 아내가 은행에서 대출받아 일부 돈을 갚았지만 나머지는 어떻게 갚아야 할지 엄두조차 나지 않습니다. 아내가 일하러 직장에 나가게 되면 혼자 있는 것이 너무 불안하고 우울하며 외로워서 자꾸 술을 마시게 되고, 의존하게 되는 것 같습니다. 술을 마시게 되면 아내와 싸우게 되고 이런 나 자신이 너무 싫습니다. 요즘은 자꾸 죽고 싶다는 생각밖에 들지 않습니다. 어떻게 해야 할까요?

1. 유니버셜웨이트 타로의 쓰리 카드 배열법에 의한 상담

내담자의 성격 카드

내담자의 영혼 카드

내담자의 올해의 카드

<쓰리 카드 배열>

2. 전문 상담

내담자님은 매력적이고 호감형이기 때문에 다른 사람과의 관계가 좋고 인기가 많은 편이군요. 또한 민감하고 감수성이 뛰어나 예술가적인 기질을 타고나 창의와 관련된 일에 잘 맞습니다. 현재 하시는 일(가구 공방 운영)과도 잘 맞습니다. 또한 내담자님의 운명 카드(교황 카드)로 볼 때 돈에 욕심이 없고 다른 사람의 어려움을 지나치지 못하고 자비와 선의를 베푸는 타입이시며, 다른 사람들의 고민을 잘 들어 주고 중재를 잘 하시는군요.

본업(가구 공방)과 부업(주식)을 둘 다 병행하려 하니 시간에 쫓겨 마음의 여유가 없어 어느 한 가지 일에 몰두하기 힘드셨을 겁니다. 본업인 가구 공방에 몰두해야 하는데 주식에 생각과 신경이 분산되니 일의 균형이 맞지 않아 손실이 컸던 것이 아닐까 생각됩니다. 이미 손해를 많이 본 주식 쪽에 아직도 미련이 남아 벗어나지 못하는 상황일 수 있습니다. 그로 인해 가구 공방의 운영에 문제가 생기고 적자를 면할 수 없었을 것입니다. 주식으로 인해 빠져나간 돈은 들어오지 않습니다. 자신의 손을 떠난 돈은 어차피 지금 들어오지 않으니 잠깐 잊어야 다른 수익에 대해 생각할 수 있습니다. 마음속 상처로 인해 다소 정체되는 시기(쓰러져 있는 컵 3개)이나 내담자님께서 자신의 마음을 다독여 본업(세워져 있는 두 개의 컵)에 충실하게 된다면 새로운 프로젝트나 일의 기회가 생기게 되고 이전의 어려움(경제적 손실과 금전)을 이겨 내고, 마음에 요동치던 부정적인 생각과 마음을 잘 조율하여 즐거운 마음으로 새로운 일을 하게 될 때 내담자님이 세우신 목표와 성취를 이루게 될 것입니다. 즉, 새로운 일과 프로젝트의 성공이 이루어질 것입니다.

3. 만다라 명상
만다라 명상&타로카드 메이저 카드 22장 중 내담자가 무작위로 3장 선택

4. 전문 상담

　코로나19 팬데믹으로 공방 운영에 어려움이 있어서 근심이 많으셨을 거라 생각됩니다. 불안한 상황이 장기간 지속되면 누구나 마음의 여유가 없어지고 내면의 근심은 더 깊어지기 마련입니다. 내담자님이 처한 불안한 상황은 여러 가지 안정되지 못한 상황을 의미하기도 하고, 다른 것을 해서라도 이 상황을 모면해야겠다는 조급한 마음을 갖게 합니다. 확실히 결정되지 못한 내면의 근심은 불안정한 상황을 가속화시키고 현재의 상황보다 더 안 좋은 상황으로의 변화를 의미하기도 합니다. 사람이 내려갈 때가 있으면 올라갈 때도 있습니다. 즉, 사업이 잘되어 돈을 많이 벌 때가 있으면 어려울 때도 있다는 뜻입니다. 해가 지면 또 다른 해가 떠오르는 이치는 세상의 섭리이자 자연적인 순환을 의미합니다. 자연적인 순환은 운명적 순환이기에 억지로 인위적인 상황을 만들기보다 자연적인 순환에 나를 맡긴다면 나를 둘러싸고 있던 부정적 에너지가 성취의 긍정적 에너지로 변화

하여 계획했던 프로젝트의 성공과 목표 달성이라는 성취의 기쁨을 갖게 될 것입니다. 성취의 완성과 더불어 새로운 일을 시작하게 되며 그 일 또한 상황적 완성으로 이끌어 행복과 안정을 누리게 될 것입니다.

5. 메이저 카드 22장 중 내담자가 가장 마음이 끌리는 카드를 1장 선택

6. 명상 코칭

지금부터 우리는 음악과 함께 눈을 감고 명상을 시작하려고 합니다. (명상 음악을 틀음) 눈을 감고 바르고 편안한 자세로 긴장을 풀어 주시기 바랍니다. 두 손은 배꼽 아래(단전)에 올려 주시고 손에서 전해 오는 감각에 집중해 주시기 바랍니다. 눈을 감으시고 숨을 들이쉬면서 내뱉기를 반복하실 것입니다. 숨을 들이쉴 때는 코로 들이마시고 내뱉을 때는 "후~" 하고 입으로 내뱉습니다. 음악에 맞추어 천천히 숨을 들이마시고 내뱉기를 반복합니다. 음악에 집중해 주시기 바랍니다(3분간 명상 유지 후 눈을 뜬다). 이제 눈을 뜨시고 선택하신 카드를 바라봅니다. 이 카드를 보며 떠오르는 이미지가 나에게 어떤 생각이나 느낌으로 다가왔는지, 나에게 주는 메시지는 무엇인지에 대해 말씀해 주시기 바랍니다.

상담: (상담자는 상으로, 내담자는 내로 표기함)

상1) 이 그림을 선택하신 이유가 있을까요?

내1) 네, 무엇인가 강한 설렘이 느껴져서요.

상2) 그렇군요. 어떤 설렘인지 말씀해 주시겠어요?

내2) 네, 이 그림을 보고 있노라면 현재 저의 상황이 많이 힘들고 불안하지만 왠지 하고 있는 일(가구 공방)이 잘될 것 같다는 설렘이 느껴지는 것 같아요. 보라색을 아내가 정말 좋아하는데 가운데 원이 보라색이어서 눈에 띄기도 하고 누군가의 도움(신의 도움)을 받을 수 있을 것도 같다는 생각이 들었습니다.

상3) 그렇군요. 이 카드는 최종적인 완성, 즉 큰 결실을 의미합니다. 카드의 어느 부분이 가장 눈에 들어오던가요?

내3) 보라색 원 안의 작은 점으로부터 시작해서 바깥으로 확장되는 느낌이 왠지 답답했던 내 마음의 문제로부터 벗어나 자유함과 따뜻함, 마음의 안정감 등을 얻는 듯한 느낌이 들었습니다.

상4) 아~ 작은 점으로부터의 바깥으로 확장되는 느낌이 답답했던 현재의 상황에서 벗어나 자유함, 따뜻, 안정감 등의 느낌을 받으셨다는 의미인가요?

내4) 네, 왠지 잘될 것 같다는 생각, 희망 같은 것 등이 느껴지는 것 같아요.

상5) 네, 이 카드의 키워드는 완성, 성공, 새로운 시작을 의미합니다.

내5) 그렇군요. 그래서 카드를 보고 있노라면 희망과 소망이 느껴지는 것 같았군요. 무엇인가 뿌듯함, 결실, 성취 등의 단어가 자꾸 머릿속에서 맴돕니다.

상6) 그렇군요. 지금 하시는 일에 영감을 얻어 새로운 아이템을 찾아 일을 추진한다면 긍정적인 변화가 생길 것 같은 생각이 드는데요. (내담자와 함께 웃음)

내6) 네, 그런 것 같아요.

구상하고 있었던 아이템이 있는데 그것을 시작으로 일을 다시 시작해 볼까 합니다. 좌절하고 있을 때는 아무것도 생각나지 않아 절망스러웠는데 상담과 명상을 통해 새로운 희망을 갖게 된 것 같아요.

상7) 긍정적인 에너지가 내담자님으로부터 막 느껴지는데요.

자, 이제부터 지금까지 아팠던 내 마음에 위로해 주는 시간을 가지려고 하는데 괜찮을까요?

내7) 네.

상8) 아까처럼 심호흡을 하시면서 두 팔을 가슴 위에서 교차시킨 상태에서 양쪽 팔뚝에 양손을 두고 눈을 살며시 감은 후 호흡을 천천히 합니다. 그리고 나비가 날갯짓하듯 이 좌우를 번갈아 살짝살짝 10~15번 정도 두드리면서 이렇게 말해 보세요.

"수고했어. 많이 힘들었지. 이제는 괜찮아. 다 잘될 거야. 넌 잘하고 있어."라고 말하는 거예요. 이 방법은 마음이 불안해지거나 두려워질 때 하는 것으로 '나비 포옹법'이라고 해요. 자, 같이 해 볼까요? (아래의 그림처럼 자세를 취하고 시범을 보임)

(아래의 그림 참조)

<사진 출처: 국가트라우마센터>

내8) (상담자를 따라 두 팔을 교차하여 가슴에 얹고 호흡을 하며 양어깨를 두드리며 상담자를 따라 "수고했어. 많이 힘들었지. 이제는 괜찮아. 다 잘될 거야, 넌 잘하고 있어."라며 두드림을 3~4분 반복한다.)

상9) 해 보니까 어떠세요?

내9) 음... 마음이 많이 편안해지고 안정이 되는 것 같아요. 감사합니다.

상10) 마음이 힘들고 괴로울 때마다 명상과 기도로 어려움을 이겨 나가시기 바라요.
그리고 힘들었을 나를 위해 위로의 말도 잊지 마시기 바랍니다. 수고 많으셨습니다.

❝❝ ···

<내담자 소감>

　　그동안 희망이 없는 절벽 위에 위태롭게 서 있는 듯한 느낌을 갖고 살았습니다. 아내에게 미안하기도 하고 어리석은 일을 선택했던 내 마음에 화도 나고 죄책감 때문에 죽고 싶다는 생각이 많이 들었습니다. 이번 상담으로 절망스러웠던 마음에 희망을 보게 되어 감사하다는 말씀을 드리고 싶습니다. 명상이란 어렵고 힘든 일이라고 생각했는데 막상 해 보니 마음의 평안과 안정 그리고 힘을 얻게 되는 것 같습니다. 자연의 섭리에 나를 맡길 때 긍정의 에너지가 발산하고 그것이 좋은 결과로 나타난다는 선생님의 말이 마음에 남습니다. 자연의 섭리에 나를 맡기고 순리대로 살아갈 때 마음의 근심과 괴로움이 사라질 것이라는 말을 가슴에 새겨 넣겠습니다. 선생님과 상담을 하고 명상을 하는 동안 어떤 영감을 얻게 되었으며 앞으로의 일이 기대가 되고 설렘이 느껴집니다. 마치 첫사랑의 열기가 나를 감싸듯이 긍정의 에너지가 나를 에워싸 어느 길로 나를 이끌고 갈 것 같은 느낌을 받습니다.

···　❞❞

✦ 나. 추천 만다라 명상&타로카드 실전 상담 커리큘럼

한국 만다라 심리상담협회 전문 자격 과정
(경기대 평생교육원 및 협회 특강)

전문 과정명	내용	비고
만다라 코칭 전문가	한국 만다라 심리상담협회의 전문 과정의 종합 과정이다. 만다라 명상&타로카드 상담전문가, 만다라 분석 심리 전문가, 만다라 아트 전문가의 종합적인 전문 내용을 파악할 수 있다.	한국 만다라 심리상담협회 각 전문가(트레이너) 과정의 필수 과정은 한국타로&NLP상담 전문가협회의 유니버셜웨이트 3급 심볼론 3급 컬러타로 3급 오쇼젠 3급을 획득하여야 한다. ※ 전문가(트레이너) 과정만 해당되며, 2급 자격 과정은 무관함 ※
만다라 명상 전문가	전문 명상 워크북 활용법을 포함한 세계 최초, 78장 타로카드 시스템인 만다라 명상&타로카드를 활용한 전문, 고급 명상 상담 방법을 파악할 수 있다.	
만다라 타로카드 상담 전문가	세계 최초, 78장 타로카드 시스템인 만다라 명상&타로카드를 활용한 전문, 고급 상담 방법을 파악할 수 있다. 특히, 유니버셜웨이트, 심볼론, 컬러, 오쇼젠 타로카드와의 연계 방법뿐만 아니라, 만다라 명상&타로카드만의 전문 스프레드를 공부한다.	
만다라 분석 심리 전문가	만다라에 그려진 내담자의 종합적인 내면을 분석하는 방법을 파악한다. 칼 융의 꿈 분석, 컬러 심리, 분석 심리, 도형 심리, 미술 심리 등의 종합적인 콜라보와 함께, 내담자의 내면을 파악하는 직관을 공부한다.	
만다라 아트 전문가	만다라와 예술적인 조화를 이룬 치유에 효율적인 전문 과정이다. 만다라 드로잉 아트, 도자기 아트 등 실생활과 연계된 자연스러운 활동을 통해 나를 이해하고 문제를 해결해 나가는 노하우를 터득하는 전문 과정이다.	

학교 현장의 각종 학생 및 교원 대상 프로그램 강의&연수 요청
전국 만다라 교사연구회(대표, 최지원) 010-3410-2182

만다라 전문 컬러링 워크북 단체 주문 및 전문 자격 강사 해설 강의 요청
한국 만다라 심리상담협회(협회장, 서경은) 010-7444-8836

✳ < 부록 > 자존감 향상 만다라 워크북(약축) ✳

교육 현장이나 강의 현장에서 용도별(예: 학교 폭력 예방, 자존감 향상 등) 전문화, 단순화 만다라 워크북 및 전문 강사 강의가 필요한 기관이나 단체는 한국 만다라 심리상담협회(서경은 협회장: 010-7444-8836)로 문의 바란다. 여기에서는 자존감 향상 만다라 워크북을 전문화 컬러링으로 약축하여 소개한다.

번호	제목	자존감 향상 만다라	전문 명상 컬러링
1	설레임		
2	피크닉		

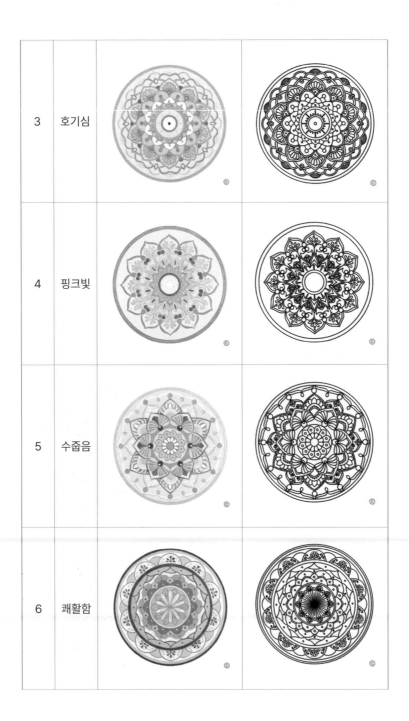

3	호기심		
4	핑크빛		
5	수줍음		
6	쾌활함		

7	센터링		
8	유연함		
9	당당함		
10	속삭임		

11	충만함		
12	재능 발휘		
13	꿈		
14	피어남		

| 15 | 든든함 |  |

Epilogue

『만다라 명상&타로카드』 원고를 마무리하며

소중한 인연, 함께할 수 있는 인연에 진심으로 감사하다.
그리고 내가 할 수 있는 일이 있어 이 또한 감사하다.

소중한 인연 항상 소중히 간직하고 살아가려 한다.
그리고 나누면서 나아가려 한다.

많은 부분의 내용을 다루었으면 좋았겠으나
지면상의 한계로 수록하지 못함이 아쉬울 뿐이다.
한국 만다라 심리상담협회의 전문 트레이너들이 강의하는
전국의 직강 현장에서는
더욱 풍부하고 실감 나는 강의가 진행될 것이다.

우리 삶이...
평범하지만 그 평범함을 행복감으로 느끼며
그 평범한, 행복한 삶만 계속되기를 기원하며 집필을 마친다.

다시 한번 소중한 인연에 감사드리며
좋은 인연 계속 이어 나갔으면 좋겠다.

『만다라 명상&타로카드』책과 카드의 출간을 위해, 긴 시간을 공저분들과 함께 달려왔다. 순간순간이 벅차고 즐거운 시간이었고, 특히, 세계 최초의 78장 타로카드 시스템인 『만다라 명상&타로카드』의 출시 순간으로 들떠 왔다.

『만다라 명상&타로카드』제작 과정 중 MBTI 연구소에서 'MBTI 타로카드' 제작을 함께할 수는 없지만, 'MBTI 타로카드'가 출시되면 좋겠다는 통화도 이루어졌다.

이제 작년부터 계획되어 왔던 'MBTI 타로카드'의 제작에 본격적인 심혈을 기울여야겠다.
끝은 없는 것 같다. 단지, 한 단계 더 나아감이 있을 뿐...

4차 산업 혁명 시대를 맞이하는 현시점에서, 물질적 풍요는 증대되어 가고 있지만, 그로 인한 정신적 피폐 또한 증대됨을 만다라를 통해 잘 해결해 나갔으면 좋겠다는 간절함으로, 특히, 우리의 미래인 청소년들에게 도움이 되면 좋겠다는 심정, 심적 문제로 고통받는 현대인들에게 도움이 되면 좋겠다는 심징으로 글을 마친다.

2023년 8월 한여름의 열기와 함께
대표 저자 최옥환(필명, 최지원), 이미정, 성영미, 김은미, 서경은 드림

✳ 한국 만다라 심리상담협회 전문가&공저 ✳

『만다라 명상&타로카드』 전문가&대표 저자

서경은 (sheismam@naver.com)

자격: 『한국 만다라 심리상담 협회』 만다라 코칭, 만다라 명상, 만다라 타로 상담 전문가

『한국 타로&NLP상담 전문가협회』 유니버셜웨이트 타로상담 트레이너(1급), 컬러 타로상담 트레이너(1급), 오쇼젠 타로상담 트레이너(1급), 마르세이유 타로상담 트레이너(1급), 심볼론 타로상담 전문가

만다라 심리상담사(마그마힐링지도자), 색채심리상담사(1급), 타로심리상담 사(1급)

저서: 『만다라 명상&타로카드를 기반으로 한 만다라 코칭&실제』 공저

『타로상담의 정석(기본편)』, 『학교 타로 상담&NLP상담(기본편)』(개정판), 공 저

충북대학교 평생교육원 타로상담&컬러 타로상담 전문가과정 강사

경기대학교 평생교육원 만다라 드로잉 전문가과정 강사

現) 한국 만다라 심리상담 협회장, 한국 타로&NLP상담 전문가 협회장

성영미 (jjwith@hanmail.net)

학력: 교육학(미술치료교육 전공) 박사

자격: 『한국 만다라 심리상담협회』 만다라코칭전문가, 만다라명상전문가, 만 다라타로상담전문가

『한국 타로&NLP상담 전문가협회』 유니버셜웨이트 타로상담 트레이너(1급),

컬러타로상담 트레이너(1급), 마르세이유 타로상담 트레이너(1급)

사) 만다라미술심리연구원 만다라심리상담사(마그마힐링지도자) 1급

사) 한상담학회 한상담전문가 1급

사) 감정코칭협회 감정코칭 전문강사, HD행복연구소 회복탄력성 전문강사

저서: 『만다라 명상&타로카드를 기반으로 한 만다라 코칭&실제』 공저

『학교 타로 상담&NLP상담(기본편)』(개정판), 공저, 『공감교실 어떻게 가꿀까』 공저

現) 중등 교사

김은미 (adelide97@hanmail.net)

학력: 상담심리학 석사, 전문상담교사 1급

자격: 『한국 만다라 심리상담 협회』 만다라 코칭, 만다라 명상, 만다라 타로 상담 전문가

『한국 타로&NLP상담 전문가협회』 유니버셜웨이트 타로상담 트레이너(1급), 컬러 타로상담 트레이너(1급), 오쇼젠 타로상담 트레이너(1급), 마르세이유 타로상담 트레이너(1급), 심볼론 타로상담 트레이너(1급)

ABH(American Board of Hypnotherapy) 최면 마스터프랙티셔너, TPTF(Tebbetts Parts Therapy Foundation)파츠테라피 퍼실리테이터, 울트라 뎁스(Ultra Depth) 퍼실리테이터, 국제공인 NLP 프랙티셔너, 학급긍정훈육법 Trainer candidate, 긍정훈육법 Trainer candidate, 한국코치협회 인증 전문코치 KAC(Korea Accociate Coach)

저서: 『학급긍정훈육법 실천편』, 『학급긍정훈육법 문제해결편』, 『질문과 이야기가 있는 교실』, 『선생님의 해방일지』, 『학교 타로 상담&NLP상담(기본편)』(개정판), 공저, 『심볼론카드 상담전문가』(개정판), 공저

現) 초등학교 교사

『만다라 명상&타로카드』 공동 저자

조혜진(책&카드)

現) 중등학교 교사

『한국 만다라 심리상담 협회』 만다라 코칭, 만다라 명상, 만다라 타로상담 전문가

『한국 타로&NLP상담 전문가협회』 유니버셜웨이트 타로상담, 컬러 타로상담, 마르세이유 타로상담 전문가, 심볼론 타로상담 트레이너(1급)

『학교 타로상담&NLP상담(기본편)』(개정판), 공저, 『심볼론카드 상담전문가』(개정판), 공저

김건숙(책&카드)

상담심리학 박사, 청소년상담사 1급, 전문상담사 2급

『한국 만다라 심리상담협회』 만다라 코칭 트레이너(1급)

『한국 타로&NLP상담 전문가 협회』 심볼론 타로상담 트레이너(1급)

『한국 타로&NLP상담 전문가 협회』 컬러 타로상담 트레이너(1급)

『심볼론카드 상담전문가』(개정판), 공저

상선순(색&카느)

교육학 석사

『한국 타로&NLP상담 전문가 협회』 유니버셜웨이트 타로상담 외 2종 트레이너(1급)

『만다라 명상&타로카드』 공저

『학교 타로상담&NLP상담(기본편)』(개정판), 공저

『심볼론카드 상담전문가』(개정판), 공저

천성필(책&카드)

現) 중등학교 진로상담 교사

『한국 만다라 심리상담 협회』 만다라 코칭, 만다라 타로상담 전문가

『한국타로&NLP상담 전문가 협회』 유니버셜웨이트 타로상담 트레이너(1급)

『한국타로&NLP상담 전문가 협회』 컬러타로상담 트레이너(1급)

『한국타로&NLP상담 전문가 협회』 심볼론 타로상담전문가

우수옥(카드)

교육학 석사. 전문상담교사 자격 소지

『한국 만다라 심리상담 협회』 만다라 코칭, 만다라 타로상담 전문가

『한국 타로&NLP상담 전문가협회』 심볼론 외 2종 타로상담 트레이너(1급)

『학교 타로상담&NLP상담(기본편)』(개정판), 공저

김순희(책)

교육학 석사

『한국 만다라 심리상담 협회』 만다라 코칭, 만다라 명상, 만다라 타로상담 전문가

『한국 타로&Nl P상담 전문가협회』 유니버셜웨이트 외 2종 타로상담 트레이너(1급)

미술심리상담지도사 1급, 색채심리상담사 1급

『만다라 명상&타로카드』 공저

소난영(책)

現) 중학교 전문상담교사

상담학 석사 및 교육심리 및 상담학 박사 수료, 전문상담사 2급, 가족상담사 1급

『한국 만다라 심리상담 협회』 만다라 코칭, 만다라 명상, 만다라 타로상담 전문가

『한국 타로&NLP상담 전문가협회』 유니버셜웨이트 외 5종 타로상담 트레이너(1급)

『심볼론카드 상담전문가』(개정판), 공저

추주연(책)

교육학 석사

『한국 만다라 심리상담 협회』 만다라 코칭, 만다라 명상, 만다라 타로상담 전문가

『한국 타로&NLP상담 전문가협회』 유니버셜웨이트 외 5종 타로상담 트레이너(1급)

만다라 심리상담사(마그마힐링지도자) 2급, 한상담 전문가 1급

만다라 명상&타로카드를 기반으로 한 『만다라 코칭&실제』 공저

서의환(카드)

現) 서점書占 대표

『한국 만다라 심리상담 협회』 만다라 코칭, 만다라 드로잉, 만다라 명상&타로상담 전문가

『한국 타로&NLP상담 전문가협회』 유니버셜웨이트 타로상담 외 1종 트레이너(1급)

『학교 타로 상담&NLP상담(기본편)』(개정판), 공저

『심볼론카드 상담전문가』(개정판), 공저

장혜선(카드)

現) 중등학교 교사

『한국 만다라 심리상담 협회』 만다라 코칭, 만다라 명상, 만다라 타로상담 전문가

『한국 타로&NLP상담 전문가협회』 유니버셜웨이트 타로상담 전문가

『한국타로&NLP상담 전문가 협회』 컬러 타로상담 트레이너(1급)

1. 타로상담 전문가 전문서적

1️⃣ 타로카드상담과 NLP 힐링치유(개정판, 2000권 품절)

저자 최지원 외   **출판사** 해드림출판사

발행일 2017년 5월 22일   **사양** 신국판

타로상담의 기초 내용을 자세히 소개했다. 기존 타로를 점이라고 인식하는 독자, 수강생들에게 타로상담을 소개하고 효율적인 상담 방법인 NLP상담을 접목한 국내 최초의 타로상담 & NLP상담 서적이다. 너무나 좋은 인기로 아쉽게 2000권 모두 품절이다.

2️⃣ 타로카드상담전문가(개정판)

저자 최지원 외   **출판사** 해드림출판사

발행일 2020년 2월 20일   **사양** 양장, 컬러

타로상담전문가를 꿈꾸는 사람이라면 반드시 읽어보아야 할 필독서! 타로상담 기본 내용과 고급 실전 상담까지 수록되어 있는 타로카드상담전문가를 위한 고급 전문서이다. 타로카드상담전문가를 꿈꾸는 독자들에게 상당히 인기 있는 베스트셀러로 벌써 개정판(2쇄)을 출판했다. 대학교 평생교육원, 교원연수 등의 강의에서 사용하는 전문 실전서이다.

③ 칼라 심리 & 상담카드

저자 최지훤 외 　　　　　**출판사** 해드림출판사

발행일 2018년 7월 7일 　　　**사양** 카드(책자 포함)
　　　　　　　　　　　　　　　　　　　8*12

사람의 마음, 잠재의식과의 연결고리, 커뮤니케이션을
위한 칼라 심리 & 상담카드. 컬러와 수비학적인 신비로
움을 가미하여 칼라 심리 & 상담카드가 제작되었다. 학
교현장 및 상담현장에서 폭넓고 다채롭게 활용되고 있
다. 수강생과 독자들은 한결같이 이야기한다. 서프라이
즈~ 라고...

④ 타로전문상담가 프레젠테이션

저자 최지훤 외 　　　　　**출판사** 해드림출판사

발행일 2019년 11월 11일 　**사양** 4*6배판(양장)

타로 전문 강사를 위한 PPT 강의 내용을 책으로 출판
하여 타로상담전문가의 커리큘럼을 표준화했다. 타로
상담전문가의 기초, 기본, 중급의 내용 모두를 한눈에
확인해 볼 수 있는 고급 전문서이다. 강의를 위한 강사
들도 많이 참고하고 있는 베스트셀러이다.

⑤ 데카메론 타로카드 상담전문가

저자 최지훤 외 　　　　　**출판사** 하움출판사

발행일 2020년 5월 20일 　**사양** 신국판, 248p

14C 중엽인 1348년, 인문학의 대가인 보카치오가 흑
사병을 주제로 저술한 데카메론이라는 책의 내용과
연계하여, 성인 데카메론 타로카드 전문 회사인 LO
SCARABEO 사와 라이선스 계약을 통해 국내 최초 데
카메론 타로카드상담전문가 책을 집필하게 되었다.

6 심볼론카드 상담전문가

저자 최지원 외　　　　　　**출판사** 하움출판사
발행일 2020년 8월 10일　　**사양** 신국판, 272p

심볼론카드는 마음의 상처를 해결하는 경험을 우리에게 제공한다. 심볼론카드 실전 상담 사례뿐만 아니라, 전문 사용법을 이해하기 위한 12별자리 10행성을 포함한 4원소, 3대 특(자)질, 양극성을 자세히 설명해 놓았다. 점성학을 사용하는 방법과 점성학을 사용하지 않는 사용법 등도 자세히 소개되어 있으며 카드 한 장 한 장, 총 78장의 최지원 대표 저자의 전문 해설도 수록되었다.

7 마르세이유 타로카드상담전문가

저자 최지원 외　　　　　　**출판사** 해드림출판사
발행일 2020년 10월 1일　　**사양** 162*231

타로카드의 어머니, 대표적인 정통 타로카드라고 이야기할 수 있는 마르세이유 타로카드에 대한 전문 기본해설서이다. 메이저카드 22장, 마이너카드 56장, 총 78장의 마르세이유 타로카드에 대해 4원소, 수비학의 설명을 포함하여 독자들이 쉽게 이해할 수 있도록 설명했으며, 실전 상담의 사례도 수록하여 누구나 쉽게 타로상담을 할 수 있는 노하우를 제시해 준다.

8 학교 타로상담&NLP상담(기본편)

저자 최지원 외　　　　　　**출판사** 하움출판사
발행일 2021년 5월 27일　　**사양** 152*225, 276p

국내 최초로 교원, 학부모, 상담사들이 성공적으로 진행한 학교 교육 현장에서의 타로 실전 상담을 수록하고 있는 타로상담&NLP상담 기본 전문서이다. 한국교원연수원(http://www.hstudy.co.kr) 교원 및 일반인 대상 타로상담 전문가 자격 연수의 교재이기도 하다. 타로카드 한 장, 한 장의 의미와 함께 기본적인 실전 상담과 연계할 수 있는 노하우, 전문가로 나아가기 위한 팁을 수록했다.

⑨ 컬러타로상담카드(COLOR TAROT COUNSELING CARD)

저자 최지원 외   **출판사** 하움출판사

발행일 2021년 8월 20일   **사양** 카드(7*11.5)

사람의 마음, 잠재의식과의 연결 고리, 내면과의 커뮤니케이션을 위해 컬러와 수비학적인 신비로움을 가미하여 컬러타로상담카드(COLOR TAROT COUNSELING CARD)가 제작되었다. 교육 현장 및 상담 현장에서 폭넓고 다채롭게 활용되고 있다. 수강생과 독자들은 한결같이 이야기한다. 서프라이즈라고....

⑩ 컬러타로카드 상담전문가

저자 최지원 외   **출판사** 하움출판사

발행일 2021년 9월 27일   **사양** 152*225, 264p

사람의 마음, 잠재의식과의 연결 고리, 내면과의 커뮤니케이션을 위해 컬러와 수비학적인 신비로움을 가미하여 컬러타로상담카드(COLOR TAROT COUNSELING CARD)가 제작되었다. 교육 현장 및 상담 현장에서 폭넓고 다채롭게 활용되고 있다. 수강생과 독자들은 한결같이 이야기한다. 서프라이즈라고....

⑪ 타로상담의 정석(기본편)

저자 최지원 외   **출판사** 하움출판사

발행일 2022년 10월 31일   **사양** 152*225, 284p

타로상담의 백과 사전의 기초편이라고 생각하면 된다. 유니버셜웨이트 타로카드 상담의 기본부터 마르세이유 타로카드, 컬러타로카드, 심볼론 타로카드, 데카메론 타로카드, 오쇼젠 타로카드 등 세계적인 타로카드를 국내 최초로 한곳에 모아 선보인 최지원 타로그랜드마스터의 베스트셀러이다. 제목답게 타로상담의 정석(기본편)을 맛볼 수 있다. 발행 직후부터 후속 출판을 요청받는 타로상담 전문서이다.

⑫ MBTI 타로카드(2024년 초 예정)

2. 만다라 전문서적

1️⃣ 만다라 명상&타로카드를 기반으로 한 『만다라 코칭&실제』

저자 최지원 외   **출판사** 메이킹북스

발행일 2023년 7월 7일   **사양** 152*225

물질 문명이 발달할수록 우리의 정신적 영역은 나날이 피폐해지고 있는 현실이다. 『만다라 코칭 & 실제』가 우리의 삶 특히, 학교 현장에서 마음의 영역에 빛을 비추는 계기가 될 것이라 믿는다. 자신의 마음을 깊숙이 들여다보고, 치유할 수 있는 첫걸음이 될 이 책을 강력히 권한다.

2️⃣ 만다라 명상&타로카드(책)

저자 최지원 외   **출판사** 하움출판사

발행일 2023년 9월 8일   **사양** 152*225

『만다라 명상&타로카드』는 최고의 타로상담 전문가와 만다라 전문가가 '카발라, 오컬트적인 신비주의의 의미 가미하여 22장의 메이저 카드와 56장의 마이너 카드, 총 78장의 타로카드로 수년간 기획, 직접 그려 제작'한 심혈을 기울인 세계적인 작품이다.

3️⃣ 만다라 명상&타로카드(카드) (2023년 9월 말 예정)

4️⃣ 만다라 분석 심리 상담전문가(2024년 예정)

본『만다라 명상&타로카드』의 오류가 발견될 경우, 다음 카페, 한국 만다라 심리상담협회(cafe.daum.net/KANLP)에 공지하도록 한다. 또한, 카페에서 만다라 코칭 전문가/만다라 명상&타로카드 상담전문가로 나아가는 실전 상담 및 많은 정보를 얻을 수 있을 것이다.

만다라 명상&타로카드 상담전문가 온, 오프라인 자격 과정에서는 만다라 워크북을 통한 상담 방법과 빛 만다라를 통한 전문상담 노하우 등 전문가 발휘해야 할 여러 고급 스킬을 추가적으로 소개하도록 하겠다.

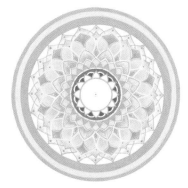

만다라 명상 & 타로카드

1판 1쇄 발행 2023년 9월 22일

지은이 최지원, 이미정, 성영미, 김은미, 서경은, 조혜진,
　　　　김건숙, 추주연, 김순희, 장선순, 소난영, 천성필
디자인 유은경 · 조서윤

교정 주현강 **편집** 문서아 **마케팅 · 지원** 김혜지

펴낸곳 (주)하움출판사 **펴낸이** 문현광

이메일 haum1000@naver.com **홈페이지** haum.kr
블로그 blog.naver.com/haum1000 **인스타그램** @haum1007

ISBN 979-11-6440-412-4 (03180)